HEINRICH BÖLL

DER MANN
MIT DEN MESSERN

ERZÄHLUNGEN

MIT EINEM
AUTOBIOGRAPHISCHEN
NACHWORT

PHILIPP RECLAM JUN. STUTTGART

Universal-Bibliothek Nr. 8287
Alle Rechte vorbehalten
© für diese Ausgabe 1959 Philipp Reclam jun. GmbH & Co., Stuttgart
© für den Text Lamuv Verlag GmbH, Bornheim-Merten
Satz: Vereinsdruckerei Heilbronn eGmbH, Heilbronn
Druck und Bindung: Reclam, Ditzingen
Printed in Germany 1997
RECLAM und UNIVERSAL-BIBLIOTHEK sind eingetragene Marken
der Philipp Reclam jun. GmbH & Co., Stuttgart
ISBN 3-15-008287-0

DER MANN MIT DEN MESSERN

Jupp hielt das Messer vorne an der Spitze der Schneide und ließ es lässig wippen, es war ein langes, dünngeschliffenes Brotmesser, und man sah, daß es scharf war. Mit einem plötzlichen Ruck warf er das Messer hoch, es schraubte sich mit einem propellerartigen Surren hinauf, während die blanke Schneide in einem Bündel letzter Sonnenstrahlen wie ein goldener Fisch flimmerte, schlug oben an, verlor seine Schwingung und sauste scharf und gerade auf Jupps Kopf hinunter; Jupp hatte blitzschnell einen Holzklotz auf seinen Kopf gelegt; das Messer pflanzte sich mit einem Ratsch fest und blieb dann schwankend haften. Jupp nahm den Klotz vom Kopf, löste das Messer und warf es mit einem ärgerlichen Zucken in die Tür, wo es in der Füllung nachzitterte, ehe es langsam auspendelte und zu Boden fiel ...

„Zum Kotzen", sagte Jupp leise. „Ich bin von der einleuchtenden Voraussetzung ausgegangen, daß die Leute, wenn sie an der Kasse ihr Geld bezahlt haben, am liebsten solche Nummern sehen, wo Gesundheit oder Leben auf dem Spiel stehen – genau wie im römischen Zirkus –, sie wollen wenigstens wissen, daß Blut fließen *könnte*, verstehst du?" Er hob das Messer auf und warf es mit einem knappen Schwingen des Armes in die oberste Fenstersprosse, so heftig, daß die Scheiben klirrten und aus dem bröckeligen Kitt zu fallen drohten. Dieser Wurf – sicher und herrisch – erinnerte mich an jene düsteren Stunden der Vergangenheit, wo er sein Taschenmesser die Bunkerpfosten hatte hinauf- und

3

hinunterklettern lassen. „Ich will ja alles tun", fuhr er fort, „um den Herrschaften einen Kitzel zu verschaffen. Ich will mir die Ohren abschneiden, aber es findet sich leider keiner, der sie mir wieder ankleben könnte. Komm mal mit." Er riß die Tür auf, ließ mich vorgehen, und wir traten ins Treppenhaus, wo die Tapetenfetzen nur noch an jenen Stellen hafteten, wo man sie der Stärke des Leimes wegen nicht hatte abreißen können, um den Ofen mit ihnen anzuzünden. Dann durchschritten wir ein verkommenes Badezimmer und kamen auf eine Art Terrasse, deren Beton brüchig und von Moos bewachsen war. Jupp deutete in die Luft.

„Die Sache wirkt natürlich besser, je höher das Messer fliegt. Aber ich brauche oben einen Widerstand, wo das Ding gegenschlägt und seinen Schwung verliert, damit es recht scharf und gerade heruntersaust auf meinen nutzlosen Schädel. Sieh mal." Er zeigte nach oben, wo das Eisenträgergerüst eines verfallenen Balkons in die Luft ragte.

„Hier habe ich trainiert. Ein ganzes Jahr. Paß auf!" Er ließ das Messer hochsausen, es stieg mit einer wunderbaren Regelmäßigkeit und Stetigkeit, es schien sanft und mühelos zu klettern wie ein Vogel, schlug dann gegen einen der Träger, raste mit einer atemberaubenden Schnelligkeit herunter und schlug heftig in den Holzklotz. Der Schlag allein mußte schwer zu ertragen sein. Jupp zuckte mit keiner Wimper. Das Messer hatte sich einige Zentimeter tief ins Holz gepflanzt.

„Das ist doch prachtvoll, Mensch", rief ich, „das ist doch ganz toll, das müssen sie doch anerkennen, das ist doch eine Nummer!"

Jupp löste das Messer gleichgültig aus dem Holz, packte es am Griff und hieb in die Luft.

„Sie erkennen es ja an, sie geben mir zwölf Mark

für den Abend, und ich darf zwischen größeren Nummern ein bißchen mit dem Messer spielen. Aber die Nummer ist zu schlicht. Ein Mann, ein Messer, ein Holzklotz, verstehst du? Ich müßte ein halbnacktes Weib haben, dem ich die Messer haarscharf an der Nase vorbeiflitzen lasse. Dann würden sie jubeln. Aber such solch ein Weib!"

Er ging voran, und wir traten in sein Zimmer zurück. Er legte das Messer vorsichtig auf den Tisch, den Holzklotz daneben und rieb sich die Hände. Dann setzten wir uns auf die Kiste neben dem Ofen und schwiegen. Ich nahm mein Brot aus der Tasche und fragte:

„Darf ich dich einladen?"

„Oh, gern, aber ich will Kaffee kochen. Dann gehst du mit und siehst dir meinen Auftritt an."

Er legte Holz auf und setzte den Topf über die offene Feuerung. „Es ist zum Verzweifeln", sagte er, „ich glaube, ich sehe zu ernst aus, vielleicht noch ein bißchen nach Feldwebel, was?"

„Unsinn, du bist ja nie ein Feldwebel gewesen. Lächelst du, wenn sie klatschen?"

„Klar – und ich verbeuge mich."

„Ich könnt's nicht. Ich könnt nicht auf 'nem Friedhof lächeln."

„Das ist ein großer Fehler, gerade auf 'nem Friedhof muß man lächeln."

„Ich versteh dich nicht."

„Weil sie ja nicht tot sind. Keiner ist tot, verstehst du?"

„Ich versteh schon, aber ich glaub's nicht."

„Bist eben doch noch ein bißchen Oberleutnant. Na, das dauert eben länger, ist klar. Mein Gott, ich freu mich, wenn's ihnen Spaß macht. Sie sind erloschen, und ich kitzele sie ein bißchen und laß mir's bezahlen. Vielleicht wird einer, ein einziger nach

Hause gehen und mich nicht vergessen. ‚Der mit dem Messer, verdammt, der hatte keine Angst, und ich hab immer Angst, verdammt‘, wird er vielleicht sagen, denn sie haben alle immer Angst. Sie schleppen die Angst hinter sich wie einen schweren Schatten, und ich freu mich, wenn sie's vergessen und ein bißchen lachen. Ist das kein Grund zum Lächeln?"

Ich schwieg und lauerte auf das Brodeln des Wassers. Jupp goß in dem braunen Blechtopf auf, und dann tranken wir abwechselnd aus dem braunen Blechtopf und aßen mein Brot dazu. Draußen begann es leise zu dämmern, und es floß wie eine sanfte graue Milch ins Zimmer.

„Was machst *du* eigentlich?" fragte Jupp mich.

„Nichts ... ich schlage mich durch."

„Ein schwerer Beruf."

„Ja – für das Brot habe ich hundert Steine suchen und klopfen müssen. Gelegenheitsarbeiter."

„Hm ... hast du Lust, noch eins meiner Kunststücke zu sehen?" Er stand auf, da ich nickte, knipste Licht an und ging zur Wand, wo er einen teppichartigen Behang beiseite schob; auf der rötlich getünchten Wand wurden die mit Kohle grob gezeichneten Umrisse eines Mannes sichtbar: eine sonderbare, beulenartige Erhöhung, dort wo der Schädel sein mußte, sollte wohl einen Hut darstellen. Bei näherem Zusehen sah ich, daß er auf eine geschickt getarnte Tür gezeichnet war. Ich beobachtete gespannt, wie Jupp nun unter seiner kümmerlichen Liegestatt einen hübschen braunen Koffer hervorzog, den er auf den Tisch stellte. Bevor er ihn öffnete, kam er auf mich zu und legte vier Kippen vor mich hin. „Dreh zwei dünne davon", sagte er.

Ich wechselte meinen Platz, so daß ich ihn sehen konnte und zugleich mehr von der milden Wärme des Ofens bestrahlt wurde. Während ich die Kippen behutsam öffnete, indem ich mein Brotpapier als Unterlage benutzte, hatte Jupp das Schloß des Koffers aufspringen lassen und ein seltsames Etui hervorgezogen; es war eins jener mit vielen Taschen benähten Stoffetuis, in denen unsere Mütter ihr Aussteuerbesteck aufzubewahren pflegten. Er knüpfte flink die Schnur auf, ließ das zusammengerollte Bündel über den Tisch aufgleiten, und es zeigte sich ein Dutzend Messer mit hölzernen Griffen, die in der Zeit, wo unsere Mütter Walzer tanzten, „Jagdbesteck" genannt worden waren.

Ich verteilte den gewonnenen Tabak gerecht auf zwei Blättchen und rollte die Zigaretten.

„Hier", sagte ich.

„Hier", sagte auch Jupp und: „Danke." Dann zeigte er mir das Etui ganz.

„Das ist das einzige, was ich vom Besitz meiner Eltern gerettet habe. Alles verbrannt, verschüttet, und der Rest gestohlen. Als ich elend und zerlumpt aus der Gefangenschaft kam, besaß ich nichts – bis eines Tages eine vornehme alte Dame, Bekannte meiner Mutter, mich ausfindig gemacht hatte und mir dieses hübsche kleine Köfferchen überbrachte. Wenige Tage, bevor sie von den Bomben getötet wurde, hatte meine Mutter dieses kleine Ding bei ihr sichergestellt, und es war gerettet worden. Seltsam, nicht wahr? Aber wir wissen ja, daß die Leute, wenn sie die Angst des Untergangs ergriffen hat, die merkwürdigsten Dinge zu retten versuchen. Nie das Notwendige. Ich besaß also jetzt immerhin den Inhalt dieses kleinen Koffers: den braunen Blechtopf, zwölf Gabeln, zwölf Messer und zwölf Löffel und das große Brotmesser. Ich verkaufte Löffel und Gabeln, lebte ein Jahr davon und trainierte mit den Messern, dreizehn Messern. Paß auf ..."

Ich reichte ihm den Fidibus, an dem ich meine Zigarette entzündet hatte. Jupp klebte die Zigarette an seine Unterlippe, befestigte die Schnur des Etuis an einem Knopf seiner Jacke oben an der Schulter und ließ das Etui auf seinen Arm abrollen, den es wie ein merkwürdiger Kriegsschmuck bedeckte. Dann entnahm er mit einer unglaublichen Schnelligkeit die Messer dem Etui, und noch ehe ich mir über seine Handgriffe klargeworden war, warf er sie blitzschnell alle zwölf gegen den schattenhaften Mann an der Tür, der jenen grauenhaft schwankenden Gestalten ähnelte, die uns gegen Ende des Krieges als Vorboten des Untergangs von allen Plakatsäulen, aus allen möglichen Ecken entgegenschaukelten. Zwei Messer saßen im Hut des Mannes, je zwei über jeder Schulter, und die anderen zu je dreien an den hängenden Armen entlang . . .

„Toll!" rief ich, „toll! Aber das ist doch eine Nummer, mit ein bißchen Untermalung."

„Fehlt nur der Mann, besser noch das Weib. Ach", er pflückte die Messer wieder aus der Tür und steckte sie sorgsam ins Etui zurück. „Es findet sich ja niemand. Die Weiber sind zu bange, und die Männer sind zu teuer. Ich kann's ja verstehen, ist ein gefährliches Stück."

Er schleuderte nun die Messer wieder blitzschnell so, daß der ganze schwarze Mann mit einer genialen Symmetrie genau in zwei Hälften geteilt war. Das dreizehnte große Messer stak wie ein tödlicher Pfeil dort, wo das Herz des Mannes hätte sein müssen.

Jupp zog noch einmal an dem dünnen, mit Tabak gefüllten Papierröllchen und warf den spärlichen Rest hinter den Ofen.

„Komm", sagte er, „ich glaub, wir müssen gehen." Er steckte den Kopf zum Fenster raus, murmelte

irgend etwas von „verdammtem Regen" und sagte
dann: „Es ist ein paar Minuten vor acht, um halb
neun ist mein Auftritt."

Während er die Messer wieder in den kleinen
Lederkoffer packte, hielt ich mein Gesicht zum Fenster hinaus. Verfallene Villen schienen im Regen
leise zu wimmern, und hinter einer Wand schein-
bar schwankender Pappeln hörte ich das Kreischen
der Straßenbahn. Aber ich konnte nirgendwo eine
Uhr entdecken.

„Woher weißt du denn die Zeit?"

„Aus dem Gefühl – das gehört mit zu meinem
Training –"

Ich blickte ihn verständnislos an. Er half erst mir
in den Mantel und zog dann seine Windjacke über.
Meine Schulter ist ein wenig gelähmt, und über
einen beschränkten Radius hinaus kann ich die
Arme nicht bewegen, es genügt gerade zum Steine-
klopfen. Wir setzten die Mützen auf und traten in
den düsteren Flur, und ich war nun froh, irgendwo
im Hause wenigstens Stimmen zu hören, Lachen
und gedämpftes Gemurmel.

„Es ist so", sagte Jupp im Hinuntersteigen, „ich
habe mich bemüht, gewissen kosmischen Gesetzen
auf die Spur zu kommen. So." Er setzte den Koffer
auf einen Treppenabsatz und streckte die Arme
seitlich aus, wie auf manchen antiken Bildern Ika-
rus abgebildet ist, als er zum fliegenden Sprung
ansetzt. Auf seinem nüchternen Gesicht erschien
etwas seltsam Kühl-Träumerisches, etwas halb Be-
sessenes und halb Kaltes, Magisches, das mich maß-
los erschreckte. „So", sagte er leise, „ich greife einfach hinein in die Atmosphäre, und ich spüre, wie
meine Hände länger und länger werden und wie
sie hinaufgreifen in einen Raum, in dem andere
Gesetze gültig sind, sie stoßen durch eine Decke,

9

und dort oben liegen seltsame, bezaubernde Spannungen, die ich greife, einfach greife ... und dann zerre ich ihre Gesetze, packe sie, halb räuberisch, halb wollüstig und nehme sie mit!" Seine Hände krampften sich, und er zog sie ganz nahe an den Leib. „Komm", sagte er, und sein Gesicht war wieder nüchtern. Ich folgte ihm benommen ...

Es war ein leiser, stetiger und kühler Regen draußen. Wir klappten die Kragen hoch und zogen uns fröstelnd in uns selbst zurück. Der Nebel der Dämmerung strömte durch die Straßen, schon gefärbt mit der bläulichen Dunkelheit der Nacht. In manchen Kellern der zerstörten Villen brannte ein kümmerliches Licht unter dem überragenden schwarzen Gewicht einer riesigen Ruine. Unmerklich ging die Straße in einen schlammigen Feldweg über, wo links und rechts in der dichtgewordenen Dämmerung düstere Bretterbuden in den mageren Gärten zu schwimmen schienen wie drohende Dschunken auf einem seichten Flußarm. Dann kreuzten wir die Straßenbahn, tauchten unter in den engen Schächten der Vorstadt, wo zwischen Schutt- und Müllhalden einige Häuser im Schmutz übrig geblieben sind, bis wir plötzlich auf eine sehr belebte Straße stießen; ein Stück weit ließen wir uns vom Strom der Menge mittragen und bogen dann in die dunkle Quergasse, wo die grelle Lichtreklame der „Sieben Mühlen" sich im glitzernden Asphalt spiegelte.

Das Portal zum Varieté war leer. Die Vorstellung hatte längst begonnen, und durch schäbigrote Portieren hindurch erreichte uns der summende Lärm der Menge.

Jupp zeigte lachend auf ein Photo in den Aushängekästen, wo er in einem Cowboykostüm zwischen zwei süß lächelnden Tänzerinnen hing, deren Brüste mit schillerndem Flitter bespannt waren.

„Der Mann mit den Messern", stand darunter.

„Komm", sagte Jupp wieder, und ehe ich mich besonnen hatte, war ich in einen schlecht erkennbaren schmalen Eingang gezerrt. Wir erstiegen eine enge Wendeltreppe, die nur spärlich beleuchtet war und wo der Geruch von Schweiß und Schminke die Nähe der Bühne anzeigte. Jupp ging vor mir – und plötzlich blieb er in einer Biegung der Treppe stehen, packte mich an den Schultern, nachdem er wieder den Koffer abgesetzt hatte, und fragte mich leise:

„Hast du Mut?"

Ich hatte diese Frage schon so lange erwartet, daß mich ihre Plötzlichkeit nun erschreckte. Ich mag nicht sehr mutig ausgesehen haben, als ich antwortete:

„Den Mut der Verzweiflung."

„Das ist der richtige", rief er mit gepreßtem Lachen. „Nun?"

Ich schwieg, und plötzlich traf uns eine Welle wilden Lachens, die aus dem engen Aufgang wie ein heftiger Strom auf uns zuschoß, so stark, daß ich erschrak und mich unwillkürlich fröstelnd schüttelte.

„Ich hab Angst", sagte ich leise.

„Hab ich auch. Hast du kein Vertrauen zu mir?"

„Doch gewiß ... aber ... komm", sagte ich heiser, drängte ihn nach vorne und fügte hinzu: „Mir ist alles gleich."

Wir kamen auf einen schmalen Flur, von dem links und rechts eine Menge roher Sperrholzkabinen abgeteilt waren; einige bunte Gestalten huschten umher, und durch einen Spalt zwischen kümmerlich aussehenden Kulissen sah ich auf der Bühne einen Clown, der sein Riesenmaul aufsperrte; wieder kam das wilde Lachen der Menge auf uns zu, aber Jupp zog mich in eine Tür und schloß hinter uns ab. Ich blickte mich um. Die Kabine war sehr eng und fast kahl. Ein Spiegel hing an der Wand, an einem einsamen Nagel war Jupps Cowboykostüm aufgehängt, und auf einem wackelig aussehenden Stuhl lag ein altes Kartenspiel. Jupp war von einer nervösen Hast; er nahm mir den nassen Mantel ab, knallte den Cowboyanzug auf den Stuhl, hing meinen Mantel auf, dann seine Windjacke. Über die Wand der Kabine hinweg sah ich an einer rotbemalten dorischen Säule eine elektrische Uhr, die fünfundzwanzig Minuten nach acht zeigte.

„Fünf Minuten", murmelte Jupp, während er sein Kostüm überstreifte.

„Sollen wir eine Probe machen?"

In diesem Augenblick klopfte jemand an die Kabinentür und rief: „Fertigmachen!"

Jupp knöpfte seine Jacke zu und setzte einen Wildwesthut auf. Ich rief mit einem krampfhaften Lachen: „Willst du den zum Tode Verurteilten erst probeweise henken?"

Jupp ergriff den Koffer und zerrte mich hinaus. Draußen stand ein Mann mit einer Glatze, der den letzten Hantierungen des Clowns auf der Bühne zusah. Jupp flüsterte ihm irgend etwas ins Ohr, was ich nicht verstand, der Mann blickte erschreckt auf, sah mich an, sah Jupp an und schüttelte heftig den Kopf. Und wieder flüsterte Jupp auf ihn ein.

Mir war alles gleichgültig. Sollten sie mich lebendig aufspießen; ich hatte eine lahme Schulter, hatte eine dünne Zigarette geraucht, morgen sollte ich für fünfundsiebzig Steine dreiviertel Brot bekommen. Aber morgen . . . Der Applaus schien die Kulissen umzuwehen. Der Clown torkelte mit müdem, verzerrtem Gesicht durch den Spalt zwischen den Kulissen auf uns zu, blieb einige Sekunden dort stehen mit einem griesgrämigen Gesicht und ging dann auf die Bühne zurück, wo er sich mit liebenswürdigem Lächeln verbeugte. Die Kapelle spielte einen Tusch. Jupp flüsterte immer noch auf den Mann mit der Glatze ein. Dreimal kam der Clown heraus und dreimal ging er hinaus auf die Bühne und verbeugte sich lächelnd! Dann begann die Kapelle einen Marsch zu spielen, und Jupp ging mit forschen Schritten, sein Köfferchen in der Hand, auf die Bühne. Mattes Händeklatschen begrüßte ihn. Mit müden Augen sah ich zu, wie Jupp die Karten an offenbar vorbereitete Nägel heftete und wie er dann die Karten der Reihe nach mit je einem Messer aufspießte, genau in der Mitte. Der Beifall wurde lebhafter, aber nicht zündend. Dann vollführte er unter leisem Trommelwirbel das Manöver mit dem großen Brotmesser und dem Holzklotz, und durch alle Gleichgültigkeit hindurch spürte ich, daß die Sache wirklich ein bißchen mager war. Drüben auf der anderen Seite der Bühne blickten ein paar dürftig bekleidete Mädchen zu ... Und dann packte mich plötzlich der Mann mit der Glatze, schleifte mich auf die Bühne, begrüßte Jupp mit einem feierlichen Armschwenken und sagte mit einer erkünstelten Polizistenstimme: „Guten Abend, Herr Borgalewski."

„Guten Abend, Herr Erdmenger", sagte Jupp, ebenfalls in diesem feierlichen Ton.

„Ich bringe Ihnen hier einen Pferdedieb, einen ausgesprochenen Lumpen, Herr Borgalewski, den Sie mit Ihren sauberen Messern erst ein bißchen kitzeln müssen, ehe er gehängt wird ... einen Lumpen ..." Ich fand seine Stimme ausgesprochen lächerlich, kümmerlich künstlich, wie Papierblumen und billigste Schminke. Ich warf einen Blick in den Zuschauerraum, und von diesem Augenblick an,

vor diesem flimmernden, lüsternen, vieltausend-
köpfigen, gespannten Ungeheuer, das im Finstern
wie zum Sprung dasaß, schaltete ich einfach ab.

Mir war alles scheißegal, das grelle Licht der
Scheinwerfer blendete mich, und in meinem schä-
bigen Anzug mit den elenden Schuhen mag ich
wohl recht nach Pferdedieb ausgesehen haben.

„Oh, lassen Sie ihn mir hier, Herr Erdmenger,
ich werde mit dem Kerl schon fertig."

„Gut, besorgen Sie's ihm und sparen Sie nicht
mit den Messern."

Jupp schnappte mich am Kragen, während Herr
Erdmenger mit gespreizten Beinen grinsend die
Bühne verließ. Von irgendwoher wurde ein Strick
auf die Bühne geworfen, und dann fesselte mich
Jupp an den Fuß einer dorischen Säule, hinter
der eine blau angestrichene Kulissentür lehnte. Ich
fühlte etwas wie einen Rausch der Gleichgültigkeit.
Rechts von mir hörte ich das unheimliche, wim-
melnde Geräusch des gespannten Publikums, und
ich spürte, daß Jupp recht gehabt hatte, wenn er
von seiner Blutgier sprach. Seine Lust zitterte in
der süßen, fade riechenden Luft, und die Kapelle
erhöhte mit ihrem sentimentalen Spannungstrom-
melwirbel, mit ihrer leisen Geilheit, den Eindruck
einer schauerlichen Tragikomödie, in der richtiges
Blut fließen würde, bezahltes Bühnenblut . . . Ich
blickte starr geradeaus und ließ mich schlaff nach
unten sacken, da mich die feste Schnürung des Strik-
kes wirklich hielt. Die Kapelle wurde immer leiser,
während Jupp sachlich seine Messer wieder aus den
Karten zog und sie ins Etui steckte, wobei er mich
mit melodramatischen Blicken musterte. Dann, als
er alle Messer geborgen hatte, wandte er sich zum
Publikum, und auch seine Stimme war ekelhaft ge-
schminkt, als er nun sagte: „Ich werde Ihnen die-

sen Herrn mit Messern umkränzen, meine Herrschaften, aber Sie sollen sehen, daß ich nicht mit stumpfen Messern werfe . . ." Dann zog er einen Bindfaden aus der Tasche, nahm mit unheimlicher Ruhe ein Messer nach dem anderen aus dem Etui, berührte damit den Bindfaden, den er in zwölf Stücke zerschnitt; jedes Messer steckte er ins Etui zurück.

Währenddessen blickte ich weit über ihn hinweg, weit über die Kulissen, weit weg auch über die halbnackten Mädchen, wie mir schien, in ein anderes Leben . . .

Die Spannung der Zuschauer elektrisierte die Luft. Jupp kam auf mich zu, befestigte zum Schein den Strick noch einmal neu und flüsterte mir mit weicher Stimme zu: „Ganz, ganz still halten, und hab Vertrauen, mein Lieber . . ."

Seine neuerliche Verzögerung hatte die Spannung fast zur Entladung gebracht, sie drohte ins Leere auszufließen, aber er griff plötzlich seitlich, ließ seine Hände ausschweben wie leise schwirrende Vögel, und in sein Gesicht kam jener Ausdruck magischer Sammlung, den ich auf der Treppe bewundert hatte. Gleichzeitig schien er mit dieser Zauberergeste auch die Zuschauer zu beschwören. Ich glaubte ein seltsam schauerliches Stöhnen zu hören, und ich begriff, daß das ein Warnsignal für mich war.

Ich holte meinen Blick aus der unendlichen Ferne zurück, blickte Jupp an, der mir jetzt so gerade gegenüberstand, daß unsere Augen in einer Linie lagen; dann hob er die Hand, griff langsam zum Etui, und ich begriff wieder, daß das ein Zeichen für mich war. Ich stand still, ganz still und schloß die Augen . . .

Es war ein herrliches Gefühl; es währte vielleicht

zwei Sekunden, ich weiß es nicht. Während ich das leise Zischen der Messer hörte und den kurzen heftigen Luftzug, wenn sie neben mir in die Kulissentür schlugen, glaubte ich, auf einem sehr schmalen Balken über einem unendlichen Abgrund zu gehen. Ich ging ganz sicher und fühlte doch alle Schauer der Gefahr ... ich hatte Angst und doch die volle Gewißheit, nicht zu stürzen; ich zählte nicht, und doch öffnete ich die Augen in dem Augenblick, als das letzte Messer neben meiner rechten Hand in die Tür schoß ...

Ein stürmischer Beifall riß mich vollends hoch; ich schlug die Augen ganz auf und blickte in Jupps bleiches Gesicht, der auf mich zugestürzt war und nun mit nervösen Händen meinen Strick löste. Dann schleppte er mich in die Mitte der Bühne vorn an die Rampe; er verbeugte sich, und ich verbeugte mich; er deutete in dem anschwellenden Beifall auf mich und auf ihn; dann lächelte er mich an, ich lächelte ihn an, und wir verbeugten uns zusammen lächelnd vor dem Publikum.

In der Kabine sprachen wir beide kein Wort. Jupp warf das durchlöcherte Kartenspiel auf den Stuhl, nahm meinen Mantel vom Nagel und half mir, ihn anzuziehen. Dann hing er sein Cowboykostüm wieder an den Nagel, zog seine Windjacke an, und wir setzten die Mützen auf. Als ich die Tür öffnete, stürzte uns der kleine Mann mit der Glatze entgegen und rief: „Gage erhöht auf vierzig Mark!" Er reichte Jupp ein paar Geldscheine. Da begriff ich, daß Jupp nun mein Chef war, und ich lächelte, und auch er blickte mich an und lächelte.

Jupp faßte meinen Arm, und wir gingen nebeneinander die schmale, spärlich beleuchtete Treppe hinunter, auf der es nach alter Schminke roch. Als wir das Portal erreicht hatten, sagte Jupp lachend: „Jetzt kaufen wir Zigaretten und Brot . . ."

Ich aber begriff erst eine Stunde später, daß ich nun einen richtigen Beruf hatte, einen Beruf, wo ich mich nur hinzustellen brauchte und ein bißchen zu träumen. Zwölf oder zwanzig Sekunden lang. Ich war der Mensch, auf den man mit Messern wirft . . .

DAMALS IN ODESSA

Damals in Odessa war es sehr kalt. Wir fuhren jeden Morgen mit großen rappelnden Lastwagen über das Kopfsteinpflaster zum Flugplatz, warteten frierend auf die großen grauen Vögel, die über das Startfeld rollten, aber an den beiden ersten Tagen, wenn wir gerade beim Einsteigen waren, kam der Befehl, daß kein Flugwetter sei, die Nebel über dem Schwarzen Meer zu dicht oder die Wolken zu tief, und wir stiegen wieder in die großen rappelnden Lastwagen und fuhren über das Kopfsteinpflaster in die Kaserne zurück.

Die Kaserne war sehr groß und schmutzig und verlaust, und wir hockten auf dem Boden oder lagen über den dreckigen Tischen und spielten Siebzehn-und-Vier, oder wir sangen und warteten auf eine Gelegenheit, über die Mauer zu gehen. In der Kaserne waren viele wartende Soldaten, und keiner durfte in die Stadt. An den beiden ersten Tagen hatten wir vergeblich versucht auszukneifen, sie hatten uns geschnappt, und wir mußten zur Strafe die großen, heißen Kaffeekannen schleppen und Brote abladen; und dabei stand in einem wunderbaren Pelzmantel, der für die sogenannte Front bestimmt war, ein Zahlmeister und zählte, damit kein Brot plattgeschlagen wurde, und wir dachten damals, daß Zahlmeister nicht von Zahlen, sondern von Zählen kommt. Der Himmel war immer noch neblig und dunkel über Odessa, und die Posten pendelten vor den schwarzen, schmutzigen Mauern der Kaserne auf und ab.

Am dritten Tage warteten wir, bis es ganz dunkel geworden war, dann gingen wir einfach an das große Tor, und als der Posten uns anhielt, sagten wir „Kommando Seltschini", und er ließ uns durch. Wir waren zu drei Mann, Kurt, Erich und ich, und wir gingen sehr langsam. Es war erst vier Uhr und schon ganz dunkel. Wir hatten ja nichts gewollt, als aus den großen, schwarzen, schmutzigen Mauern heraus, und nun, als wir draußen waren, wären wir fast lieber wieder drinnen gewesen; wir waren erst seit acht Wochen beim Militär und hatten viel Angst, aber wir wußten auch: wenn wir wieder drinnen gewesen wären, hätten wir unbedingt heraus gewollt, und dann wäre es unmöglich gewesen, und es war doch erst vier Uhr, und wir konnten nicht schlafen, wegen der Läuse und dem Singen und auch, weil wir fürchteten und zugleich hofften, am anderen Morgen könnte gutes Flugwetter sein, und sie würden uns auf die Krim hinüberfliegen, wo wir sterben sollten. Wir wollten nicht sterben, wir wollten auch nicht auf die Krim, aber wir mochten auch nicht den ganzen Tag in dieser schmutzigen, schwarzen Kaserne hocken, wo es nach Ersatzkaffee roch, und wo sie immerzu Brote abluden, die für die Front bestimmt waren, immerzu, und wo immer Zahlmeister in Mänteln, die für die Front bestimmt waren, dabei standen und zählten, damit kein Brot plattgeschlagen wurde.

Ich weiß nicht, was wir wollten. Wir gingen sehr langsam in diese dunkle, holprige Vorstadtgasse hinein; zwischen unbeleuchteten, niedrigen Häusern war die Nacht von ein paar verfaulenden Holzpfählen eingezäunt, und dahinter irgendwo schien Ödland zu liegen, Ödland wie zu Hause, wo sie glauben, es wird eine Straße gelegt, Kanäle bauen und mit Meßstangen herumfummeln, und es wird doch nichts mit der Straße, und sie werfen Schutt,

Asche und Abfälle dahin, und das Gras wächst wieder, derbes, wildes Gras, üppiges Unkraut, und das Schild „Schutt abladen verboten" ist schon nicht mehr zu sehen, weil sie zu viel Schutt dahingeschüttet haben ...

Wir gingen sehr langsam, weil es noch so früh war. Im Dunkeln begegneten uns Soldaten, die in die Kaserne gingen, und andere kamen aus der Kaserne und überholten uns; wir hatten Angst vor den Streifen und wären am liebsten zurückgegangen, aber wir wußten ja auch, wenn wir wieder in der Kaserne waren, würden wir ganz verzweifelt sein, und es war besser, Angst zu haben als nur Verzweiflung in den schwarzen, schmutzigen Mauern der Kaserne, wo sie Kaffee schleppten, immerzu Kaffee schleppten und für die Front Brote abluden, immerzu Brote für die Front, und wo die Zahlmeister in den schönen Mänteln herumliefen, während es uns schrecklich kalt war.

Manchmal kam links oder rechts ein Haus, aus dem dunkelgelbes Licht herausschien, und wir hörten Stimmen, hell und fremd und beängstigend, kreischend. Und dann kam in der Dunkelheit ein ganz helles Fenster, da war viel Lärm, und wir hörten Soldatenstimmen, die sangen: „Ja, die Sonne von Mexiko."

Wir stießen die Tür auf und traten ein: da drinnen war es warm und qualmig, und es waren Soldaten da, acht oder zehn, und manche hatten Weiber bei sich, und sie tranken und sangen, und einer lachte ganz laut, als wir hereinkamen. Wir waren jung und auch klein, die Kleinsten von der ganzen Kompanie; wir hatten ganz nagelneue Uniformen an, und die Holzfasern stachen uns in Arme und Beine, und die Unterhosen und Hemden juckten

20

schrecklich auf der bloßen Haut, und auch die Pullover waren ganz neu und stachelig.

Kurt, der Kleinste, ging voran und suchte einen Tisch aus; er war Lehrling in einer Lederfabrik, und er hatte uns immer erzählt, wo die Häute herkamen, obwohl es Geschäftsgeheimnis war, und er hatte uns sogar erzählt, was sie daran verdienten, obwohl das ganz strenges Geschäftsgeheimnis war. Wir setzten uns neben ihn.

Hinter der Theke kam eine Frau heraus, eine dicke Schwarze mit einem gutmütigen Gesicht, und sie fragte, was wir trinken wollten; wir fragten zuerst, was der Wein kostete, denn wir hatten gehört, daß alles sehr teuer war in Odessa.

Sie sagte: „Fünf Mark die Karaffe", und wir bestellten drei Karaffen Wein. Wir hatten beim Siebzehn-und-Vier viel Geld verloren und den Rest geteilt; jeder hatte zehn Mark. Einige von den Soldaten aßen auch, sie aßen gebratenes Fleisch, das noch dampfte, auf Weißbrotschnitten, und Würste, die nach Knoblauch rochen, und wir merkten jetzt erst, daß wir Hunger hatten, und als die Frau den Wein brachte, fragten wir, was das Essen kostete. Sie sagte, daß die Würste fünf Mark kosteten und Fleisch mit Brot acht; sie sagte, das wäre frisches Schweinefleisch, aber wir bestellten drei Würste. Manche von den Soldaten küßten die Weiber oder nahmen sie ganz offen in den Arm, und wir wußten nicht, wo wir hingucken sollten.

Die Würste waren heiß und fett, und der Wein war sehr sauer. Als wir die Würste aufgegessen hatten, wußten wir nicht, was wir tun sollten. Wir hatten uns nichts mehr zu erzählen, vierzehn Tage hatten wir im Waggon nebeneinander gelegen und uns alles erzählt, Kurt war in einer Lederfabrik gewesen, Erich kam von einem Bauernhof, und ich,

ich war von der Schule gekommen; wir hatten immer noch Angst, aber es war uns nicht mehr kalt . . .

Die Soldaten, die die Weiber geküßt hatten, schnallten jetzt ihre Koppel um und gingen mit den Weibern hinaus; es waren drei Mädchen, sie hatten runde, liebe Gesichter, und sie kicherten und zwitscherten, aber sie gingen jetzt mit sechs Soldaten weg, ich glaube, es waren sechs, fünf bestimmt. Es blieben nur noch die Betrunkenen, die gesungen hatten: „Ja, die Sonne von Mexiko." Einer, der an der Theke stand, ein großer, blonder Obergefreiter, drehte sich jetzt um und lachte uns wieder aus; ich glaube, wir saßen auch sehr still und brav da an unserem Tisch, die Hände auf den Knien, wie beim Unterricht in der Kaserne. Dann sagte der Obergefreite etwas zu der Wirtin, und die Wirtin brachte uns weißen Schnaps in ziemlich großen Gläsern. „Wir müssen ihm jetzt zuprosten", sagte Erich und stieß uns mit den Knien an, und ich, ich rief so lange: „Herr Obergefreiter", bis er merkte, daß ich ihn meinte, dann stieß uns Erich mit den Knien wieder an, wir standen auf und riefen zusammen: „Prost, Herr Obergefreiter." Die anderen Soldaten lachten alle laut, aber der Obergefreite hob sein Glas und rief uns zu: „Prost, die Herren Grenadiere . . ."

Der Schnaps war scharf und bitter, aber er machte uns warm, und wir hätten gerne noch einen getrunken.

Der blonde Obergefreite winkte Kurt, und Kurt ging hin und winkte uns auch, als er ein paar Worte mit dem Obergefreiten gesprochen hatte. Er sagte, wir wären ja verrückt, weil wir kein Geld hätten, wir sollten doch etwas verscheuern; und er fragte, von wo wir kämen und wo wir hin müßten, und wir sagten ihm, daß wir in der Kaserne warteten und auf die Krim fliegen sollten. Er machte ein ernstes Gesicht und sagte nichts. Dann fragte ich ihn, was wir denn verscheuern könnten, und er sagte: Alles.

Verscheuern könnte man hier alles, Mantel und Mütze oder Unterhosen, Uhren, Füllfederhalter.

Wir wollten keinen Mantel verscheuern, wir hatten zuviel Angst, es war ja verboten, und es war uns auch sehr kalt, damals in Odessa. Wir suchten unsere Taschen leer: Kurt hatte einen Füllfederhalter, ich eine Uhr und Erich ein ganz neues, ledernes Portemonnaie, das er bei einer Verlosung in der Kaserne gewonnen hatte. Der Obergefreite nahm die drei Sachen und fragte die Wirtin, was sie dafür geben wollte, und sie sah alles ganz genau an, sagte, daß es schlecht sei, und wollte zweihundertfünfzig Mark geben, hundertachtzig allein für die Uhr.

Der Obergefreite sagte, daß das wenig sei, zweihundertfünfzig, aber er sagte auch, mehr gäbe sie bestimmt nicht, und wenn wir am nächsten Tag vielleicht auf die Krim flögen, wäre ja alles egal, und wir sollten es nehmen.

Zwei von den Soldaten, die gesungen hatten: „Ja, die Sonne von Mexiko . . .", kamen jetzt von den Tischen und klopften dem Obergefreiten auf die Schultern; er nickte uns zu und ging mit ihnen hinaus.

Die Wirtin hatte mir das ganze Geld gegeben, und ich bestellte jetzt für jeden zwei Portionen Schweinefleisch mit Brot und einen großen Schnaps, und dann aßen wir noch einmal jeder zwei Portionen Schweinefleisch, und noch einmal tranken wir einen Schnaps. Das Fleisch war frisch und fett, heiß und fast süß, und das Brot war ganz mit Fett durchtränkt, und wir tranken dann noch einen Schnaps. Dann sagte die Wirtin, sie hätte kein Schweinefleisch mehr, nur noch Wurst, und wir aßen jeder eine Wurst und ließen uns Bier dazu geben, dickes, dunkles Bier, und wir tranken noch einen Schnaps und ließen uns Kuchen bringen, flache, trockene Kuchen aus gemahlenen Nüssen; dann tranken wir noch mehr Schnaps und wurden gar nicht betrunken; es war uns warm und wohl, und wir dachten nicht mehr an die vielen Stacheln aus Holzfasern in den Unterhosen und dem Pullover; und es kamen neue Soldaten herein, und wir sangen alle: „Ja, die Sonne von Mexiko ..."

Um sechs Uhr war unser Geld auf, und wir waren immer noch nicht betrunken; wir gingen zur Kaserne zurück, weil wir nichts mehr zu verscheuern hatten. In der dunklen, holprigen Straße brannte nun gar kein Licht mehr, und als wir durch die Wache kamen, sagte der Posten, wir müßten auf die Wachstube. In der Wachstube war es heiß und trocken, schmutzig, und es roch nach Tabak, und der Unteroffizier schnauzte uns an und sagte, die Folgen würden wir schon sehen. Aber in der Nacht schliefen wir sehr gut, und am anderen Morgen fuhren wir wieder auf den großen, rappelnden Lastwagen über das Kopfsteinpflaster zum Flugplatz, und es war kalt in Odessa, das Wetter war herrlich, klar, und wir stiegen endgültig in die Flugzeuge ein; und als sie hochstiegen, wußten wir plötzlich, daß wir nie mehr wiederkommen würden, nie mehr ...

WANDERER, KOMMST DU NACH SPA ...

Als der Wagen hielt, brummte der Motor noch eine
Weile; draußen wurde irgendwo ein großes Tor
aufgerissen. Licht fiel durch das zertrümmerte Fenster in das Innere des Wagens, und ich sah jetzt,
daß auch die Glühbirne oben an der Decke zerfetzt
war; nur ihr Gewinde stak noch in der Schraub-
öffnung, ein paar flimmernde Drähtchen mit Glas-
resten. Dann hörte der Motor auf zu brummen,
und draußen schrie eine Stimme: „Die Toten hierhin, habt ihr Tote dabei?" „Verflucht", rief der
Fahrer zurück, „verdunkelt ihr schon nicht mehr?"

„Da nützt kein Verdunkeln mehr, wenn die
ganze Stadt wie eine Fackel brennt", schrie die
fremde Stimme. „Ob ihr Tote habt, habe ich gefragt?"

„Weiß nicht."

„Die Toten hierhin, hörst du? Und die anderen
die Treppe hinauf in den Zeichensaal, verstehst
du?"

„Ja, ja."

Aber ich war noch nicht tot, ich gehörte zu den
anderen, und sie trugen mich die Treppe hinauf.
Erst ging es in einen langen, schwach beleuchteten
Flur, dessen Wände mit grüner Ölfarbe gestrichen
waren; krumme, schwarze, altmodische Kleiderhaken waren in die Wände eingelassen, und da
waren Türen mit Emailleschildchen: VI a und VI b,
und zwischen diesen Türen hing, sanftglänzend unter Glas in einem schwarzen Rahmen, die Medea
von Feuerbach und blickte in die Ferne; dann kamen Türen mit V a und V b, und dazwischen hing

25

ein Bild des Dornausziehers, eine wunderbare rötlich schimmernde Photographie in braunem Rahmen.

Auch die große Säule in der Mitte vor dem
Treppenaufgang war da, und hinter ihr, lang und
schmal, wunderbar gemacht, eine Nachbildung des
Parthenonfrieses in Gips, gelblich schimmernd, echt,
antik, und alles kam, wie es kommen mußte: der
griechische Hoplit, bunt und gefährlich, wie ein
Hahn sah er aus: gefiedert, und im Treppenhaus
selbst, auf der Wand, die hier mit gelber Ölfarbe
gestrichen war, da hingen sie alle der Reihe nach:
vom Großen Kurfürsten bis Hitler . . .

Und dort, in dem schmalen kleinen Gang, wo ich
endlich wieder für ein paar Schritte gerade auf meiner Bahre lag, da war das besonders schöne, besonders große, besonders bunte Bild des Alten Fritzen
mit der himmelblauen Uniform, den strahlenden
Augen und dem großen, golden glänzenden Stern
auf der Brust.

Wieder lag ich dann schief auf der Bahre und
wurde vorbeigetragen an den Rassegesichtern: da
war der nordische Kapitän mit dem Adlerblick und
dem dummen Mund, die westische Moselanerin, ein
bißchen hager und scharf, der ostische Grinser mit
der Zwiebelnase und das lange adamsapfelige Bergfilmprofil; und dann kam wieder ein Flur, wieder
lag ich für ein paar Schritte gerade auf meiner
Bahre, und bevor die Träger in die zweite Treppe
hineinschwenkten, sah ich es noch eben: das Kriegerdenkmal mit dem großen, goldenen Eisernen
Kreuz obendrauf und dem steinernen Lorbeerkranz.

Das ging alles sehr schnell: ich bin nicht schwer,
und die Träger rasten. Immerhin: alles konnte auch
Täuschung sein; ich hatte hohes Fieber, hatte überall Schmerzen. Im Kopf, in den Armen und Beinen,

26

und mein Herz schlug wie verrückt; was sieht man nicht alles im Fieber!

Aber als wir an den Rassegesichtern vorbei waren, kam alles andere: die drei Büsten von Caesar, Cicero, Marc Aurel, brav nebeneinander, wunderbar nachgemacht, ganz gelb und echt, antik und würdig standen sie an der Wand, und auch die Hermessäule kam, als wir um die Ecke schwenkten, und ganz hinten im Flur – der Flur war hier rosenrot gestrichen – ganz, ganz hinten im Flur hing die große Zeusfratze über dem Eingang zum Zeichensaal; doch die Zeusfratze war noch weit. Rechts sah ich durch das Fenster den Feuerschein, der ganze Himmel war rot, und schwarze, dicke Wolken von Qualm zogen feierlich vorüber . . . Und wieder mußte ich links sehen, und wieder sah ich Schildchen über den Türen O I a und O I b, und zwischen den bräunlichen muffigen Türen sah ich nur Nietzsches Schnurrbart und seine Nasenspitze in einem goldenen Rahmen, denn sie hatten die andere Hälfte des Bildes mit einem Zettel überklebt, auf dem zu lesen war: „Leichte Chirurgie" . . .

„Wenn jetzt", dachte ich flüchtig . . . „Wenn jetzt . . .", aber da war es schon: das Bild von Togo: bunt und groß, flach wie ein alter Stich, ein prachtvoller Druck, und vorne, vor den Kolonialhäusern, vor den Negern und dem Soldaten, der da sinnlos mit seinem Gewehr herumstand, vor allem war das große, ganz naturgetreu abgebildete Bündel Bananen: links ein Bündel, rechts ein Bündel, und auf der mittleren Banane im rechten Bündel, da war etwas hingekritzelt, ich sah es; ich selbst mußte es hingeschrieben haben . . .

Aber nun wurde die Tür zum Zeichensaal aufgerissen, und ich schwebte unter der Zeusbüste hinein und schloß die Augen. Ich wollte nichts mehr sehen. Der Zeichensaal roch nach Jod, Scheiße, Mull und Tabak, und es war laut. Sie setzten mich ab, und ich sagte zu den Trägern: „Steck mir 'ne Zigarette in den Mund, links oben in der Tasche."

Ich spürte, wie einer mir an der Tasche herumfummelte, dann zischte ein Streichholz, und ich hatte die brennende Zigarette im Mund. Ich zog daran. „Danke", sagte ich.

„Alles das", dachte ich, „ist kein Beweis. Letzten Endes gibt es in jedem Gymnasium einen Zeichensaal, Gänge, in denen krumme, alte Kleiderhaken in grün- und gelbgestrichene Wände eingelassen sind; letzten Endes ist es kein Beweis, daß ich in meiner Schule bin, wenn die Medea zwischen VI a und VI b hängt und Nietzsches Schnurrbart zwischen O I a und O I b. Gewiß gibt es eine Vorschrift, die besagt, daß er da hängen muß. Hausordnung für humanistische Gymnasien in Preußen: Medea zwischen VI a und VI b, Dornauszieher dort, Caesar, Marc Aurel und Cicero im Flur und Nietzsche oben, wo sie schon Philosophie lernen. Parthenonfries, ein buntes Bild von Togo. Dornauszieher und Parthenonfries sind schließlich gute, alte, generationenlang bewährte Schulrequisiten, und gewiß bin ich nicht der einzige, der den Einfall gehabt hat, auf eine Banane zu schreiben: Es lebe Togo. Auch die Witze, die sie in den Schulen machen, sind immer dieselben. Und außerdem besteht die Möglichkeit, daß ich Fieber habe, daß ich träume."

Schmerzen hatte ich jetzt nicht mehr. Im Auto war es noch schlimm gewesen; wenn wir durch die kleinen Schlaglöcher fuhren, schrie ich jedesmal; da waren die großen Trichter schon besser: das Auto hob und senkte sich wie ein Schiff in einem Wellental. Aber jetzt schien die Spritze schon zu wirken, die sie mir irgendwo im Dunkeln in den Arm gehauen hatten: ich hatte gespürt, wie die Nadel sich durch die Haut bohrte und wie es unten am Bein ganz heiß wurde.

„Es kann ja nicht wahr sein", dachte ich, „so viele Kilometer kann das Auto ja gar nicht gefahren sein: fast dreißig. Und außerdem: du spürst nichts; kein Gefühl sagt es dir, nur die Augen; kein Gefühl sagt dir, daß du in deiner Schule bist, in deiner Schule, die du vor drei Monaten erst verlassen hast. Acht Jahre sind keine Kleinigkeit, solltest du nach acht Jahren das alles nur mit den Augen erkennen?"

Hinter meinen geschlossenen Lidern sah ich alles noch einmal, wie ein Film lief es ab: unterer Flur, grüngestrichen, Treppe rauf, gelbgestrichen, Kriegerdenkmal, Flur, Treppe rauf, Caesar, Cicero, Marc Aurel . . . Hermes, Nietzscheschnurrbart, Togo, Zeusfratze . . .

Ich spuckte meine Zigarette aus und schrie; es war immer gut, zu schreien; man mußte nur laut schreien; schreien war herrlich; ich schrie wie verrückt. Als sich jemand über mich beugte, machte ich immer noch nicht die Augen auf; ich spürte einen fremden Atem, warm und widerlich roch er nach Tabak und Zwiebeln, und eine Stimme fragte ruhig: „Was ist denn?"

„Was zu trinken", sagte ich, „und noch 'ne Zigarette, die Tasche oben."

Wieder fummelte einer an meiner Tasche herum, wieder zischte ein Streichholz und jemand steckte mir 'ne brennende Zigarette in den Mund.

„Wo sind wir?" fragte ich.

„In Bendorf."

„Danke", sagte ich und zog.

Immerhin schien ich wirklich in Bendorf zu sein,

zu Hause also, und wenn ich nicht außergewöhnlich hohes Fieber hatte, stand wohl auch fest, daß ich in einem humanistischen Gymnasium war: eine Schule war es bestimmt. Hatte die Stimme unten nicht geschrien: „Die anderen in den Zeichensaal!"? Ich war ein anderer, ich lebte, die lebten, waren offenbar die anderen. Der Zeichensaal war also da, und wenn ich richtig hörte, warum sollte ich nicht richtig sehen, und dann stimmte es wohl auch, daß ich Caesar, Cicero und Marc Aurel erkannt hatte, und das konnte nur in einem humanistischen Gymnasium sein; ich glaube nicht, daß sie diese Kerle in den anderen Schulen auf den Fluren an die Wand stellen.

Endlich brachte er mir Wasser: wieder roch ich den Tabak- und Zwiebelatem aus seinem Gesicht, und ich machte, ohne es zu wollen, die Augen auf: da war ein müdes, altes, unrasiertes Gesicht über einer Feuerwehruniform, und eine alte Stimme sagte leise: „Trink, Kamerad."

Ich trank; es war Wasser, aber Wasser ist herrlich; ich spürte den metallenen Geschmack des Kochgeschirrs auf meinen Lippen, und es war schön zu spüren, welch eine Menge Wasser noch nachdrängte, aber der Feuerwehrmann riß mir das Kochgeschirr von den Lippen und ging: ich schrie, aber er wandte sich nicht um, zuckte nur müde die Schultern und ging weiter; einer, der neben mir lag, sagte ruhig: „Hat gar keinen Zweck zu brüllen, sie haben nicht mehr Wasser; die Stadt brennt, du siehst es doch."

Ich sah es durch die Verdunkelung hindurch, es glühte und wummerte hinter den schwarzen Vorhängen, rot hinter schwarz, wie in einem Ofen, auf den man neue Kohlen geschüttet hat. Ich sah es: ja, die Stadt brannte.

„Wie heißt die Stadt?" fragte ich den, der neben mir lag.

„Bendorf", sagte er.

„Danke."

Ich blickte ganz gerade vor mich hin auf die Fensterreihe, und manchmal zur Decke. Die Decke war noch tadellos, weiß und glatt, mit einem schmalen klassizistischen Stuckrand; aber sie haben doch in allen Schulen klassizistische Stuckränder an den Decken in den Zeichensälen, wenigstens in den guten, alten humanistischen Gymnasien. Das ist doch klar.

Ich mußte mir jetzt zugestehen, daß ich im Zeichensaal eines humanistischen Gymnasiums in Bendorf lag. Bendorf hat drei humanistische Gymnasien: die Schule „Friedrich der Große", die Albertus-Schule und – vielleicht brauche ich es nicht zu erwähnen – aber die letzte, die dritte war die Adolf-Hitler-Schule. Hing nicht in der Schule „Friedrich der Große" das Bild des Alten Fritz besonders bunt, besonders schön, besonders groß im Treppenhaus? Ich war auf dieser Schule gewesen, acht Jahre lang, aber warum konnte nicht in den anderen Schulen dieses Bild genauso an derselben Stelle hängen, so deutlich und auffallend, daß es den Blick fangen mußte, wenn man die erste Treppe hinaufstieg?

Draußen hörte ich jetzt die schwere Artillerie schießen. Sonst war es fast ruhig; nur manchmal drang das Fressen der Flammen durch, und im Dunkeln stürzte irgendwo ein Giebel ein. Die Artillerie schoß ruhig und regelmäßig, und ich dachte: Gute Artillerie! Ich weiß, das ist gemein, aber ich dachte es. Mein Gott, wie beruhigend war die Artillerie, wie gemütlich: dunkel und rauh, ein sanftes, fast feines Orgeln. Irgendwie vornehm. Ich finde, die Artillerie hat etwas Vornehmes, auch wenn sie schießt. Es hört sich so anständig an, richtig nach Krieg in den Bilderbüchern . . . Dann dachte ich daran, wieviel Namen wohl auf dem Kriegerdenkmal stehen würden, wenn sie es wieder einweihten, mit einem noch größeren goldenen Eisernen Kreuz darauf und einem noch größeren steinernen Lorbeerkranz, und plötzlich wußte ich es: wenn ich wirklich in meiner alten Schule war, würde mein Name auch darauf stehen, eingehauen in Stein, und im Schulkalender würde hinter meinem Namen stehen – „zog von der Schule ins Feld und fiel für . . .“

Aber ich wußte noch nicht wofür und wußte noch nicht, ob ich in meiner alten Schule war. Ich wollte es jetzt unbedingt herauskriegen. Am Kriegerdenkmal war auch nichts Besonderes gewesen, nichts Auffallendes, es war wie überall, es war ein Konfektionskriegerdenkmal, ja, sie bekamen sie aus irgendeiner Zentrale . . .

Ich sah mir den Zeichensaal an, aber die Bilder hatten sie abgehängt, und was ist schon an ein paar Bänken zu sehen, die in einer Ecke gestapelt sind, und an den Fenstern, schmal und hoch, viele nebeneinander, damit viel Licht hereinfällt, wie es sich für einen Zeichensaal gehört? Mein Herz sagte mir nichts. Hätte es nicht etwas gesagt, wenn ich in dieser Bude gewesen wäre, wo ich acht Jahre lang Vasen gezeichnet und Schriftzeichen geübt hatte, schlanke, feine, wunderbar nachgemachte römische Glasvasen, die der Zeichenlehrer vorne auf einen Ständer setzte, und Schriften aller Art, Rundschrift, Antiqua, Römisch, Italienne. Ich hatte diese Stunden gehaßt wie nichts in der ganzen Schule, ich hatte die Langeweile gefressen stundenlang, und niemals hatte ich Vasen zeichnen können oder

Schriftzeichen malen. Aber wo waren meine Flüche, wo war mein Haß angesichts dieser dumpfgetönten, langweiligen Wände? Nichts sprach in mir, und ich schüttelte stumm den Kopf.

Immer wieder hatte ich radiert, den Bleistift gespitzt, radiert . . . nichts . . .

Ich wußte nicht genau, wie ich verwundet war; ich wußte nur, daß ich meine Arme nicht bewegen konnte und das rechte Bein nicht, nur das linke ein bißchen; ich dachte, sie hätten mir die Arme an den Leib gewickelt, so fest, daß ich sie nicht bewegen konnte.

Ich spuckte die zweite Zigarette in den Gang zwischen den Strohsäcken und versuchte, meine Arme zu bewegen, aber es tat so weh, daß ich schreien mußte; ich schrie weiter; es war immer wieder schön, zu schreien; ich hatte auch Wut, weil ich die Arme nicht bewegen konnte.

Dann stand der Arzt vor mir; er hatte die Brille abgenommen und blinzelte mich an; er sagte nichts; hinter ihm stand der Feuerwehrmann, der mir das Wasser gegeben hatte. Er flüsterte dem Arzt etwas ins Ohr, und der Arzt setzte die Brille auf: deutlich sah ich seine großen grauen Augen mit den leise zitternden Pupillen hinter den dicken Brillengläsern. Er sah mich lange an, so lange, daß ich wegsehen mußte, und er sagte leise: „Augenblick, Sie sind gleich an der Reihe . . .“

Dann hoben sie den auf, der neben mir lag, und trugen ihn hinter die Tafel; ich blickte ihnen nach: sie hatten die Tafel auseinandergezogen und quer gestellt und die Lücke zwischen Wand und Tafel mit einem Bettuch zugehängt; dahinter brannte grelles Licht . . .

Nichts war zu hören, bis das Tuch wieder beiseite geschlagen und der, der neben mir gelegen hatte, hinausgetragen wurde; mit müden, gleichgültigen Gesichtern schleppten die Träger ihn zur Tür.

Ich schloß wieder die Augen und dachte: „Du mußt doch herauskriegen, was du für eine Verwundung hast und ob du in deiner alten Schule bist."

Mir kam das alles so kalt und gleichgültig vor, als hätten sie mich durch das Museum einer Totenstadt getragen, durch eine Welt, die mir ebenso gleichgültig wie fremd war, obwohl meine Augen sie erkannten, nur meine Augen; es konnte doch nicht wahr sein, daß ich vor drei Monaten noch hier gesessen, Vasen gezeichnet und Schriften gemalt hatte, daß ich in den Pausen hinuntergegangen war mit meinem Marmeladenbutterbrot, vorbei an Nietzsche, Hermes, Togo, Caesar, Cicero, Marc Aurel, ganz langsam bis in den Flur unten, wo die Medea hing, dann zum Hausmeister, zu Birgeler, um Milch zu trinken, Milch in diesem dämmerigen kleinen Stübchen, wo man es auch riskieren konnte, eine Zigarette zu rauchen, obwohl es verboten war. Sicher trugen sie den, der neben mir gelegen hatte, unten hin, wo die Toten lagen, vielleicht lagen die Toten in Birgelers grauem kleinem Stübchen, wo es nach warmer Milch roch, nach Staub und Birgelers schlechtem Tabak . . .

Endlich kamen die Träger wieder herein, und jetzt hoben sie mich auf und trugen mich hinter die Tafel. Ich schwebte wieder, jetzt an der Tür vorbei, und im Vorbeischweben sah ich, daß auch das stimmte: über der Tür hatte einmal ein Kreuz gehangen, als die Schule noch Thomas-Schule hieß, und damals hatten sie das Kreuz weggemacht, aber da blieb ein frischer dunkelgelber Flecken an der Wand, kreuzförmig, hart und klar, der fast noch deutlicher zu sehen war als das alte, schwache, kleine Kreuz selbst, das sie abgehangen hatten; sauber und schön blieb das Kreuzzeichen auf der verschossenen Tünche der Wand. Damals hatten sie aus Wut die ganze Wand neu gepinselt, aber es hatte nichts genützt: der Anstreicher hatte den Ton nicht richtig getroffen: das Kreuz blieb da bräunlich und deutlich, aber die ganze Wand war rosa. Sie hatten geschimpft, aber es hatte nichts genützt: das Kreuz blieb da, braun und deutlich auf dem Rosa der Wand, und ich glaube, ihr Etat für Farbe war erschöpft, und sie konnten nichts machen. Das Kreuz war noch da, und wenn man genau hinsah, konnte man sogar noch eine deutliche Schrägspur über dem rechten Balken sehen, wo jahrelang der Buchsbaumzweig gesteckt hatte, den der Hausmeister Birgeler dorthin klemmte, als es noch erlaubt war, Kreuze in die Schulen zu hängen ...

Das alles fiel mir in der kleinen Sekunde ein, als ich an der Tür vorbeigetragen wurde hinter die Tafel, wo das grelle Licht brannte.

Ich lag auf dem Operationstisch und sah mich selbst ganz deutlich, aber sehr klein, zusammengeschrumpft, oben in dem klaren Glas der Glühbirne, winzig und weiß, ein schmales, mullfarbenes Paketchen wie ein außergewöhnlich subtiler Embryo: das war also ich da oben.

Der Arzt drehte mir den Rücken zu und stand an einem Tisch, wo er in Instrumenten herumkramte; breit und alt stand der Feuerwehrmann vor der Tafel und lächelte mich an; er lächelte müde und traurig, und sein bärtiges, schmutziges Gesicht war wie das Gesicht eines Schlafenden; an seiner Schulter vorbei auf der schmierigen Rückseite der Tafel sah ich etwas, was mich zum ersten Male, seitdem ich in diesem Totenhaus war, mein Herz spüren machte: irgendwo in einer geheimen Kammer meines Herzens erschrak ich tief und schrecklich, und es fing heftig an zu schlagen: da war meine Handschrift an der Tafel. Oben in der obersten Zeile. Ich kenne meine Handschrift: es ist schlimmer, als wenn man sich im Spiegel sieht, viel deutlicher, und ich hatte keine Möglichkeit, die Identität meiner Handschrift zu bezweifeln. Alles andere war kein Beweis gewesen, weder Medea noch Nietzsche, nicht das dinarische Bergfilmprofil noch die Banane aus Togo, und nicht einmal das Kreuzzeichen über der Tür: das alles war in allen Schulen dasselbe, aber ich glaube nicht, daß sie in anderen Schulen mit meiner Handschrift an die Tafeln schreiben. Da stand er noch, der Spruch, den wir damals hatten schreiben müssen, in diesem verzweifelten Leben, das erst drei Monate zurücklag: Wanderer, kommst du nach Spa . . .

Oh, ich weiß, die Tafel war zu kurz gewesen, und der Zeichenlehrer hatte geschimpft, daß ich nicht richtig eingeteilt hatte, die Schrift zu groß gewählt, und er selbst hatte es kopfschüttelnd in der gleichen Größe darunter geschrieben: Wanderer, kommst du nach Spa . . .

Siebenmal stand es da: in meiner Schrift, in Antiqua, Fraktur, Kursiv, Römisch, Italienne und Rundschrift; siebenmal deutlich und unerbittlich: Wanderer, kommst du nach Spa . . .

Der Feuerwehrmann war jetzt auf einen leisen Ruf des Arztes hin beiseite getreten, so sah ich den ganzen Spruch, der nur ein bißchen verstümmelt war, weil ich die Schrift zu groß gewählt hatte, der Punkte zu viele.

Ich zuckte hoch, als ich einen Stich in den linken Oberschenkel spürte, ich wollte mich aufstützen, aber ich konnte es nicht: ich blickte an mir herab und nun sah ich es: sie hatten mich ausgewickelt, und ich hatte keine Arme mehr, auch kein rechtes Bein mehr, und ich fiel ganz plötzlich nach hinten, weil ich mich nicht aufstützen konnte; ich schrie; der Arzt und der Feuerwehrmann blickten mich entsetzt an, aber der Arzt zuckte nur die Schultern und drückte weiter auf den Kolben seiner Spritze, der langsam und ruhig nach unten sank; ich wollte wieder auf die Tafel blicken, aber der Feuerwehrmann stand nun ganz nah neben mir und verdeckte sie; er hielt mich an den Schultern fest, und ich roch nur noch den brandigen, schmutzigen Geruch seiner verschmierten Uniform, sah nur sein müdes, trauriges Gesicht, und nun erkannte ich ihn: es war Birgeler.

„Milch", sagte ich leise ...

TRUNK IN PETÖCKI

Der Soldat spürte, daß er jetzt endlich betrunken war. Gleichzeitig fiel ihm in aller Deutlichkeit wieder ein, daß er keinen Pfennig in der Tasche hatte, um die Zeche zu bezahlen. Seine Gedanken waren so eisklar wie seine Beobachtungen, er sah alles ganz deutlich; die dicke kurzsichtige Wirtin saß im Düstern hinter der Theke und häkelte sehr vorsichtig; dabei unterhielt sie sich leise mit einem Mann, der einen ausgesprochen magyarischen Schnurrbart hatte: ein richtiges reizendes Puszta-Paprika-Operettengesicht, während die Wirtin bieder und ziemlich deutsch aussah, etwas zu brav und unbeweglich, als daß sie des Soldaten Vorstellungen von einer Ungarin erfüllt hätte. Die Sprache, die die beiden wechselten, war ebenso unverständlich wie gurgelnd, leidenschaftlich wie fremd und schön. Im Raum herrschte ein dicker grüner Dämmer von den vielen dichtstehenden Kastanienbäumen der Allee draußen, die zum Bahnhof führte: ein herrlicher dicker Dämmer, der nach Absinth aussah und auf eine köstliche Weise gemütlich war. Der Mann mit diesem fabelhaften Schnurrbart hockte halb auf einem Stuhl und lehnte breit und bequem über der Theke.

Das alles beobachtete der Soldat ganz genau, während er wußte, daß er nicht ohne umzufallen bis zur Theke hätte gehen können. „Es muß sich ein bißchen setzen", dachte er, dann lachte er laut, rief „Hallo!", hob der Wirtin sein Glas entgegen und sagte auf deutsch: „Bitte schön." Die Frau stand langsam von ihrem Stuhl auf, legte ebenso langsam das Häkelzeug aus der Hand und kam lächelnd mit der Karaffe auf ihn zu, während der Ungar sich auch umwandte und die Orden auf der Brust des Soldaten musterte. Die Frau, die auf ihn zugewatschelt kam, war so breit wie groß, ihr Gesicht war gutmütig, und sie sah herzkrank aus; ein dicker Kneifer an einer verschlissenen schwarzen Schnur saß auf ihrer Nase. Auch schienen ihr die Füße weh zu tun; während sie das Glas füllte, stützte sie den einen Fuß hoch und eine Hand auf den Tisch; dann sagte sie eine sehr dunkle ungarische Phrase, die sicher „Prost" hieß oder „wohl bekomm's" oder vielleicht gar eine allgemeine liebenswürdige mütterliche Zärtlichkeit, wie sie alte Frauen an Soldaten zu verteilen pflegen ...

Der Soldat steckte eine Zigarette an und nahm einen tiefen Schluck aus seinem Glas. Allmählich fing die Wirtsstube an, sich vor seinen Augen zu drehen; die dicke Wirtin hing irgendwo quer im Raum, die verrostete alte Theke stand jetzt senkrecht, und der wenig trinkende Ungar turnte oben irgendwo im Raum herum wie ein Affe, der zu Kunststücken abgerichtet ist. Im nächsten Augenblick hing alles auf der anderen Seite quer, der Soldat lachte laut, schrie „Prost" und nahm noch einen Schluck, dann noch einen und machte eine neue Zigarette an.

Zur Tür kam jetzt ein anderer Ungar herein, der war dick und klein und hatte ein verschmitztes Zwiebelgesicht und einen sehr winzigen Schnurrbart auf der Oberlippe. Er pustete schwer die Luft aus, schleuderte seine Mütze auf einen Tisch und hockte sich vor die Theke. Die Wirtin gab ihm Bier ...

Das sanfte Geplauder der drei war herrlich, es war wie ein stilles Summen am Rande einer anderen · Welt. Der Soldat nahm noch einen tiefen Schluck, das Glas war leer, und nun stand alles wieder an seinem richtigen Platz. Der Soldat war fast glücklich, er hob wieder das Glas, sagte lachend wieder „Bitte schön".

Die Frau schenkte ihm ein.

„Jetzt habe ich fast zehn Glas Wein", dachte der Soldat, „und ich will jetzt Schluß machen, ich bin so herrlich betrunken, daß ich fast glücklich bin." Die grüne Dämmerung wurde dichter, die weiter entfernten Ecken der Wirtsstube waren schon von undurchsichtigen, fast tiefblauen Schatten erfüllt. „Es ist eine Schande", dachte der Soldat, „daß hier keine Liebespaare sitzen. Es wäre eine reizende Kneipe für Liebespaare, in diesem schönen, grünen und blauen Dämmer. Es ist eine Schande um jedes Liebespaar draußen irgendwo in der Welt, das jetzt im Hellen herumhocken oder herumrennen muß, wo hier in der Kneipe Platz wäre, zu plaudern, Wein zu trinken und sich zu küssen . . ."

„Mein Gott", dachte der Soldat, „jetzt müßte hier Musik sein und alle diese herrlichen, dunkelgrünen und dunkelblauen Ecken voll Liebespaare, und ich, ich würde ein Lied singen. Verdammt", dachte er, „ich würde glatt ein Lied singen. Ich bin sehr glücklich, und ich würde diesen Liebespaaren ein Lied singen, dann würde ich überhaupt nicht mehr an den Krieg denken, jetzt denke ich immer noch ein bißchen an diesen Mistkrieg. Dann würde ich gar nicht mehr an den Krieg denken."

Gleichzeitig beobachtete er genau seine Armbanduhr, die jetzt halb acht zeigte. Er hatte noch zwanzig Minuten Zeit. Dann nahm er einen sehr tiefen und langen Zug von dem herben, kühlen Wein, und es war fast, als habe man ihm eine schärfere Brille aufgesetzt: er sah jetzt alles näher und

klarer und sehr fest, und es erfüllte ihn eine herr-
liche, schöne, fast vollkommene Trunkenheit. Er
sah jetzt, daß die beiden Männer da an der Theke
arm waren, Arbeiter oder Hirten, mit ihren verschlissenen Hosen, und daß ihre Gesichter müde
waren und von einer furchtbaren Ergebenheit trotz
des wilden Schnurrbarts und der zwiebeligen Pfif-
figkeit . . .

„Verdammt", dachte der Soldat, „das war
schrecklich damals, als es kalt war und ich weg-
fahren mußte, da war es ganz hell und alles voll
Schnee, und wir hatten noch ein paar Minuten Zeit
und nirgends war eine Ecke, eine dunkle, schöne,
menschliche Ecke, wo wir uns hätten küssen und
umarmen können. Alles war hell und kalt . . ."

„Bitte schön!" rief er der Wirtin zu; dann blickte
er, während sie näher kam, auf seine Uhr: er hatte
noch zehn Minuten Zeit. Als die Wirtin zugießen
wollte, in sein halbgefülltes Glas, hielt er die Hand
darüber, schüttelte lächelnd den Kopf und rieb
Daumen und Zeigefinger gegeneinander. „Zahlen",
sagte er, „wieviel Pengö?"

Dann zog er sehr langsam seine Jacke aus und
streifte den wunderbaren grauen Pullover mit dem
Rollkragen ab und legte ihn neben sich auf den
Tisch vor die Uhr. Die Männer vorne waren ver-
stummt und blickten ihm zu, auch die Wirtin schien
erschrocken. Sie schrieb jetzt sehr vorsichtig eine 14
auf die Tischplatte. Der Soldat legte seine Hand auf
ihren dicken, warmen Unterarm, hielt mit der anderen den Pullover hoch und fragte lachend: „Wieviel?" Dabei rieb er wieder Daumen und Zeigefinger gegeneinander und fügte hinzu: „Pengö".

Die Frau blickte ihn kopfschüttelnd an, aber er
zuckte die Schultern und deutete ihr an, daß er
kein Geld habe, so lange, bis sie zögernd den Pull-

over ergriff, ihn umdrehte und eifrig untersuchte, sogar daran roch. Sie rümpfte ein wenig die Nase, lächelte dann und schrieb schnell mit dem Bleistift eine 30 neben die 14. Der Soldat ließ ihren warmen Arm los, nickte ihr zu, hob das Glas und trank wieder einen Schluck.

Während die Wirtin auf die Theke zuging und eifrig mit den beiden Ungarn an zu gurgeln fing, öffnete der Soldat einfach den Mund und sang: er sang „Zu Straßburg auf der Schanz", und er spürte plötzlich, daß er gut sang, zum erstenmal im Leben gut, und gleichzeitig spürte er, daß er wieder mehr betrunken war, daß alles wieder leise schwankte, und dabei sah er noch einmal auf die Uhr und stellte fest, daß er drei Minuten Zeit hatte zu singen und glücklich zu sein und fing ein neues Lied an: „Innsbruck, ich muß dich lassen", während er lächelnd die Scheine einsteckte, die die Wirtin vor ihm auf den Tisch legte . . .

Es war jetzt ganz still in der Kneipe, die beiden Männer mit den zerschlissenen Hosen und den müden Gesichtern hatten sich ihm zugewandt, und auch die Wirtin war auf ihrem Rückweg stehen geblieben und horchte still und ernst wie ein Kind.

Dann trank der Soldat sein Glas leer, steckte eine neue Zigarette an und spürte jetzt, daß er ein bißchen schwanken würde. Doch bevor er zur Tür hinausging, legte er einen Schein auf die Theke, deutete auf die beiden Männer und sagte „Bitte schön", und die drei starrten ihm nach, als er endlich die Tür öffnete, um in die Kastanienallee zu treten, die zum Bahnhof führte und voll köstlicher, dunkelgrüner und dunkelblauer Schatten war, in denen man sich zum Abschied hätte küssen und umarmen können . . .

WIEDERSEHEN IN DER ALLEE

Manchmal, wenn es wirklich still wurde, wenn das heisere Knurren der Maschinengewehre erloschen war und jene gräßlich spröden Geräusche schwiegen, die den Abschuß der Granatwerfer anzeigten, wenn über den Linien etwas für uns Unnennbares schwebte, was unsere Väter vielleicht Frieden genannt hätten, in jenen Stunden unterbrachen wir das Läuseknacken oder unseren schwachen Schlaf, und Leutnant Hecker fingerte mit seinen langen Händen am Verschluß jener Munitionskiste, die in die Wand unseres Erdloches eingelassen war, und die wir unseren Barschrank nannten; er zog an dem Lederstückchen, so daß der Nagel der Schnalle aus seinem Loch flutschte und sich unseren Blicken die Herrlichkeit unseres Besitzes bot: links standen des Leutnants und rechts meine Flaschen, und in der Mitte war ein gemeinsamer besonders köstlicher Besitz, der jenen Stunden vorbehalten war, wo es wirklich still wurde . . .

Zwischen den dunkelweißen Pullen mit Kartoffelschnaps standen zwei Flaschen echten französischen Kognaks, des prächtigsten, den wir je tranken. Auf eine wahrhaft geheimnisvolle Weise, durch vieltausendfache Möglichkeiten der Unterschlagung, hindurch durch den Dschungel der Korruption, kam in gewissen Abständen wirklicher Hennessy in unsere Löcher vorne, wo wir gegen Dreck, Läuse und Hoffnungslosigkeit zu kämpfen hatten. Wir pflegten den jungen Burschen, die sich vor Schnaps aller Art schüttelten und mit dem Heißhunger bleicher Kinder nach Süßigkeiten verlangten, ihren Anteil an diesem köstlichen gelben Getränk in Schokolade und Bonbons zu vergüten, und wohl selten wurde ein Tauschhandel geschlossen, der beide Partner mehr beglückte.

„Komm", pflegte Hecker zu sagen, nachdem er möglichst eine saubere Kragenbinde eingeknöpft hatte und sich wohlig über sein rasiertes Kinn gefahren war. Ich richtete mich langsam aus dem düsteren Hintergrund unseres Loches auf, streifte mit matten Handbewegungen die Strohflusen von meiner Uniform und beschränkte mich auf die einzige Zeremonie, zu der ich noch Kraft fand: ich kämmte mich und wusch mir in Heckers Rasierwasser – einem Kaffeerest in einer Blechbüchse – meine Hände lange und mit einer fast perversen Innigkeit. Hecker wartete geduldig, bis ich auch meine Nägel gesäubert hatte, baute unterdes einen Munitionskasten als eine Art Tisch zwischen uns auf und rieb mit einem Taschentuch unsere beiden Schnapsgläser sauber: dickwandig stabile Dinger, die wir ebenso wohl zu behüten pflegten wie unseren Tabak. Wenn er dann die große Schachtel Zigaretten aus den Hintergründen seiner Tasche hervorgesucht hatte, war auch ich mit meinen Vorbereitungen fertig.

Meist war es nachmittags, und wir hatten die Decke vor unserem Loch beiseite geschoben, und manchmal wärmte eine bescheidene Sonne unsere Füße . . .

Wir blickten uns an, stießen die Gläser gegeneinander, tranken und rauchten. In unserem Schweigen war etwas herrlich Feierliches. Das einzig feindliche Geräusch war der Einschlag eines Scharfschützengeschosses, das mit minutiöser Pünktlichkeit in gewissen Abständen genau vor den Balken schlug, der die Böschung am Eingang unseres Bunkers stützte. Mit einem kleinen und fast liebevollen „Flapp" raschelte das Geschoß in die spröde Erde. Es erinnerte mich oft an das bescheidene und fast lautlose Huschen einer Feldmaus, die an einem stillen Nachmittag über den Weg läuft. Dieses Geräusch hatte etwas Beruhigendes, denn es vergewisserte uns, daß die köstliche Stunde, die nun anbrach, nicht Traum war, nichts Unwirkliches, sondern ein Stück unseres wahrhaften Lebens.

Nach dem vierten oder fünften Glase erst fingen wir zu sprechen an. Unter dem müden Geröll unseres Herzens wurde von diesem wunderbaren Getränk etwas seltsam Kostbares geweckt, das unsere Väter vielleicht Sehnsucht genannt hätten.

Über den Krieg, unsere Gegenwart, hatten wir kein Wort mehr zu verlieren. Zu oft und zu innig hatten wir seine zähnefletschende Fratze gesehen, und sein grauenhafter Atem, wenn die Verwundeten in dunklen Nächten in zwei verschiedenen Sprachen zwischen den Linien klagten, hatte uns zu oft das Herz erzittern gemacht. Wir haßten ihn zu sehr, als daß wir noch glauben mochten an die Seifenblasen der Phrase, die das Gesindel hüben und drüben aufsteigen ließ, um ihm den Wert einer „Sendung" zu geben.

Auch die Zukunft konnte nicht Gegenstand dieser Gespräche sein. Sie war ein schwarzer Tunnel voll spitzer Ecken, an denen wir uns stoßen würden, und wir hatten Furcht vor ihr.

Wir sprachen von der Vergangenheit; von jener kümmerlichen Andeutung dessen, was unsere Väter vielleicht Leben genannt hätten.

„Denk dir ein kleines Café", sagte Hecker, „vielleicht gar unter Bäumen, im Herbst. Der Geruch von Feuchtigkeit und Fäulnis ist in der Luft, und du übersetzt ein Gedicht von Verlaine; du hast ganz leichte Schuhe an den Füßen, und später, wenn der Dämmer in dichten Wolken niedersinkt, gehst du schlurfend nach Hause, schlurfend, verstehst du; du läßt deine Füße durch das nasse Laub schleifen und siehst den Mädchen ins Gesicht, die dir entgegenkommen . . ." Er goß die Gläser voll, mit ruhigen Händen wie ein liebevoller Arzt, der ein Kind operiert, stieß mit mir an und wir tranken . . . „Vielleicht lächelt dich eine an, und du lächelst zurück, und ihr geht beide weiter, ohne euch umzuwenden. Dieses kleine Lächeln, das ihr getauscht habt, wird nie sterben, niemals, sage ich dir . . . es wird vielleicht euer Erkennungszeichen sein, wenn ihr euch in einem anderen Leben wiederseht . . . ein lächerliches kleines Lächeln . . ."

Es kam etwas wunderbar Junges in seine Augen, er blickte mich lachend an, und auch ich lächelte, ich ergriff die Flasche und goß ein. Dann tranken wir drei oder vier hintereinander, und kein Tabak schmeckte köstlicher als jener, dessen Duft sich mit dem kostbaren Aroma des Kognaks mischte.

Zwischendurch mahnte uns das Scharfschützengeschoß, daß die Zeit unbarmherzig vertropfte; und hinter unserer Freude und dem Genuß der Stunde drohte wieder die Unerbittlichkeit unseres Lebens, die durch eine plötzlich einschlagende Granate, durch den Alarmruf eines Postens, Angriffs- oder Rückzugsbefehl, uns zerreißen würde. Wir begannen hastiger zu trinken, wildere Worte zu wechseln, und in die sanfte Freude unserer Augen mischte sich Lust und Haß; und wenn sich unweigerlich der Boden der Flasche zeigte, wurde Hecker unsagbar traurig, seine Augen wandten sich wie verschwimmende Scheiben mir zu, und er begann leise und fast irr zu flüstern: „Das Mädchen, weißt du, wohnte am Ende einer Allee, und als ich zuletzt in Urlaub war . . .“

Das war für mich das Zeichen, daß ich Schluß zu machen hatte. „Leutnant“, sagte ich kalt und scharf, „sei still, hörst du?“ So hatte er selbst mir gesagt: „Wenn ich anfange, von einem Mädchen zu sprechen, das am Ende einer Allee wohnte, dann mußt du mir sagen, daß ich die Schnauze halten soll, verstehst du mich, du mußt, du mußt!!“

Und ich folgte diesem Befehl, wenn es mir auch schwerfiel, ihn auszuführen, denn Hecker erlosch gleichsam, wenn ich mahnte; seine Augen wurden hart und nüchtern, und um seinen Mund kam die alte Falte der Bitterkeit . . .

An jenem Tage aber, von dem ich erzählen will, war alles anders als sonst. Wir hatten Wäsche bekommen, ganz neue Wäsche, neuen Kognak; ich hatte mich rasiert und mir anschließend sogar die Füße gewaschen in der Blechbüchse; ja, eine Art Bad hatte ich genommen, denn sogar neue Strümpfe hatte man uns geschickt, Strümpfe, an denen die weißen Ringe wirklich noch weiß waren . . .

Hecker lag zurückgelehnt auf unserer Liegestatt, rauchte und sah mir zu, wie ich mich wusch. Es war ganz still draußen, aber diese Stille war bösartig und lähmend, es war eine drohende Stille, und ich sah es an Heckers Händen, wenn er eine neue Zigarette an der alten entzündete, daß er erregt war und Angst hatte, denn wir alle hatten Angst, alle, die noch menschlich waren, hatten Angst.

Plötzlich hörten wir das leise Huschen, mit dem das Geschoß des Scharfschützen in die Böschung zu schlagen pflegte, und dieses sanfte Geräusch nahm der Stille alles Beängstigende, und wie in einem Atemzug lachten wir beide auf; Hecker sprang hoch, stapfte ein wenig mit den Füßen und rief

laut und kindlich: „Hurra, hurra, jetzt wird gesoffen, gesoffen auf das Wohl des Kameraden, der
immer in dieselbe Stelle schießt und immer ver-
kehrt!"

Er öffnete den Verschluß, klopfte mir auf die
Schulter und wartete geduldig, bis ich meine Stiefel
wieder angezogen und mich zu unserem Trunke be-
reitgesetzt hatte. Hecker breitete ein neues Taschentuch über die Kiste und zog zwei prachtvolle lange,
hellbraune Zigarren aus seiner Brusttasche.

„Das ist was ganz Feines", rief er lachend, „Kognak und eine gute Zigarre." Wir stießen an, tranken und rauchten in langsamen, genußvollen Zügen.

„Erzähl mir was", rief Hecker, „du mußt
mal was erzählen, los", er blickte mich ernst an.
„Mensch, nie hast du was erzählt, immer hast du
mich quatschen lassen."

„Ich kann nicht viel sagen", warf ich leise hin,
und nun blickte ich ihn an, goß ein und trank erst
mit ihm, und es war wunderbar, wie das kühle,
wärmende Getränk dunkelgelb in uns hinein-
floß. „Weißt du", fing ich zaghaft an, „ich bin
jünger als du und ein wenig älter. Ich bin immer sitzengeblieben in der Schule, dann mußte ich
in eine Lehre, ich sollte Schreiner werden. Das war
erst bitter, aber später, so nach einem Jahr, gewann
ich Freude an der Arbeit. Es ist was Herrliches, so
mit Holz zu arbeiten. Du machst dir eine Zeich-
nung auf schönes Papier, richtest dein Holz zurecht,
saubere, feingemaserte Bretter, die du liebevoll
hobelst, während dir der Geruch von Holz in die
Nase steigt. Ich glaube, ich wäre ein ganz guter
Schreiner geworden, aber als ich neunzehn wurde,
mußte ich zum Kommiß, und ich habe den ersten
Schrecken, nachdem ich durchs Kasernentor gegangen war, nie überwunden, in sechs Jahren nicht,

deshalb sprech ich nicht viel . . ., bei euch ist das etwas anderes . . ." Ich errötete, denn noch nie im Leben hatte ich so viel gesprochen . . .

Hecker sah mich nachdenklich an. „So", sagte er, „ich glaub, das ist schön, Schreiner."

„Aber hast du nie ein Mädchen gehabt", fing er plötzlich lauter an, und ich spürte schon, daß ich bald wieder Schluß machen mußte. „Nie? Nie? Hast du nie deinen Kopf auf eine sanfte Schulter gelegt und gerochen, ihr Haar gerochen . . . nie?" Diesmal schenkte er wieder ein, und die Flasche war leer mit diesen beiden letzten Schnäpsen. Hecker blickte mit einer schaurigen Trauer um sich. „Keine Wand hier, an der man die Pulle kaputtschlagen könnte, was?" „Halt", rief er plötzlich und lachte wild auf, „der Kamerad soll auch was haben, er soll sie kaputtschießen." Er trat einen Schritt vor und stellte die Flasche an jene Stelle, wo die Geschosse des Scharfschützen einzuschlagen pflegten, und ehe ich es verhindern konnte, hatte er die nächste Flasche aus unserem Schrank genommen, sie geöffnet und eingeschenkt. Wir stießen an, und im gleichen Augenblick ertönte draußen auf der Böschung ein sanftes „Pong", wir blickten erschreckt hoch und sahen, daß die Flasche einen Augenblick nachher noch fest stand, fast starr, dann aber glitt ihr oberer Teil herab, während die untere Hälfte stehen blieb. Die große Scherbe rollte in den Graben, fast bis vor unsere Füße, und ich weiß nur noch, daß ich Angst hatte, Angst von diesem Augenblick an, in dem die Flasche zerbrochen war . . .

Zugleich ergriff mich eine tiefe Gleichgültigkeit, während ich so schnell, wie Hecker eingoß, half, die zweite Flasche zu leeren. Ja, Angst und Gleichgültigkeit zugleich. Auch Hecker hatte Angst, ich sah es; wir blickten gequält aneinander vorbei, und an jenem Tage brachte ich nicht die Kraft auf, ihn zu unterbrechen, als er wieder von dem Mädchen anfing . . .

„Weißt du", sagte er hastig, an mir vorbeiblickend, „sie wohnte am Ende einer Allee, und als ich zuletzt in Urlaub war, da war Herbst, richtiger Herbst, ein später Nachmittag, und ich kann dir gar nicht beschreiben, wie schön die Allee war – –", ein wildes, köstliches und doch irgendwie irres Glück tauchte in seinen Augen auf, und um dieses Glückes willen war ich froh, ihn nicht unterbrochen zu haben; er rang im Weitersprechen die Hände, wie jemand, der etwas formen will und weiß nicht wie, und ich spürte, daß er nach den richtigen Ausdrücken suchte, um mir die Allee zu beschreiben. Ich schenkte ein, wir tranken schnell aus, und ich schenkte wieder ein, und wir kippten die Gläser hinunter . . .

„Die Allee", sagte er heiser, fast stammelnd, „die Allee war ganz golden, das ist kein Quatsch, du, sie war einfach golden, schwarze Bäume mit Gold, und graublaue Schimmer darin – –, ich war irrsinnig glücklich, während ich langsam in ihr hinabschritt bis zu jenem Haus, ich fühlte mich eingesponnen von dieser kostbaren Schönheit, und ich saugte die rauschhafte Vergänglichkeit unseres menschlichen Glückes in mich hinein. Verstehst du? Diese zauberhafte Gewißheit ergriff mich namenlos . . . und . . . und . . ."

Hecker schwieg eine Weile, während er wieder nach Worten zu suchen schien, ich goß die Gläser wieder voll, stieß mit ihm an, und wir tranken: in diesem Augenblick zerschellte auch der untere Teil der Flasche auf der Böschung, und mit einer aufreizenden Langsamkeit purzelten die Scherben eine nach der anderen in den Graben.

Ich erschrak, als Hecker plötzlich aufstand, sich bückte und die Decke ganz beiseiteschob; ich hielt ihn am Rockärmel zurück, und nun wußte ich, warum ich die ganze Zeit über Angst gehabt hatte. „Laß mich", schrie er, „laß mich . . . ich geh, ich geh in die Allee . . ." Draußen stand ich neben ihm, die Flasche in meiner Hand. „Ich geh", flüsterte Hecker, „ich geh ganz hinein bis ans Ende, wo das Haus steht! Es ist ein braunes Eisengitter davor und sie wohnt oben und . . ." Ich bückte mich erschreckt, denn ein Geschoß pfiff an mir vorbei in die Böschung, genau an die Stelle, wo die Flasche gestanden hatte.

Hecker flüsterte stammelnd sinnlose Worte, ein inniges, jetzt ganz sanftes Glück war auf seinen Zügen, und vielleicht wäre noch Zeit gewesen, ihn zurückzurufen, so wie er mir befohlen hatte. In seinen sinnlosen Worten erkannte ich nur immer die einen: „Ich geh – – ich geh einfach dorthin, wo mein Mädchen wohnt . . ."

Ich kam mir sehr feige vor, wie ich unten auf dem Boden hockte, die Flasche mit dem Kognak in der Hand, und ich fühlte es wie eine Schuld, daß ich nüchtern war, grausam nüchtern, während auf Heckers Gesicht eine unbeschreiblich süße und innige Trunkenheit lag; er blickte starr gegen die feindlichen Linien zwischen schwarzen Sonnenblumenstengeln und zerschossenen Gehöften, ich beobachtete ihn scharf; er rauchte eine Zigarette. „Leutnant", rief ich leise, „trink, komm, trink", und ich hielt ihm die Flasche entgegen, und als ich mich aufrichten wollte, spürte ich, daß auch ich betrunken war, und zu tiefinnerst verfluchte ich mich, daß ich ihn nicht früh genug zurückgerufen hatte, denn jetzt schien es zu spät zu sein; er hatte meinen Ruf nicht gehört, und eben, als ich den Mund öffnen wollte, noch einmal zu rufen, um ihn wenigstens mit der Flasche aus der Gefahr oben zurückzuholen, hörte ich ein ganz helles und feines „Ping" von einem Explosivgeschoß. Hecker wandte sich mit einer erschreckenden Plötzlichkeit um, lächelte mich kurz und selig an, dann legte er seine Zigarette auf die Böschung und sank in sich zusammen, ganz langsam fiel er hintenüber – – es griff mir eiskalt ans Herz, die Flasche entglitt meinen Händen, und ich blickte erschreckt auf den Kognak, der ihr mit leisem Glucksen entfloß und eine kleine Pfütze bildete. Wieder war es sehr still, und die Stille war drohend ...

Endlich wagte ich aufzublicken in Heckers Gesicht: seine Wangen waren eingefallen, die Augen schwarz und starr, und doch war auf seinem Gesicht noch ein Schimmer jenes Lächelns, das auf ihm geblüht hatte, während er irre Worte flüsterte. Ich wußte, daß er tot war. Aber dann schrie ich plötzlich, schrie wie ein Wahnsinniger, beugte mich, alle Vorsicht vergessend, über die Böschung und schrie zum nächsten Loch: „Hein! Hilf! Hein, Hecker ist tot!" und ohne eine Antwort abzuwarten, sank ich schluchzend zu Boden, von Grauen gepackt, denn Heckers Kopf hatte sich ein wenig gehoben, kaum merklich aber sichtbar, und es quoll Blut heraus und eine fürchterliche gelblichweiße Masse, von der ich glauben mußte, daß es sein Gehirn war; es floß und floß, und ich dachte mit starrem Schrecken nur: woher kommt diese unendliche Masse Blut, aus seinem Kopf allein? Der ganze Boden unseres Loches bedeckte sich mit Blut, die lehmige Erde sog schlecht, und das Blut erreichte den Fleck, wo ich neben der leeren Flasche kniete ...

Ich war ganz allein auf der Welt mit Heckers Blut, denn Hein antwortete nicht, und das sanfte

Schlurfen des Scharfschützengeschosses war nicht mehr zu hören ...

Plötzlich aber barst die Stille mit einem Knall, ich zappelte erschreckt hoch und erhielt im gleichen Augenblick einen Schlag gegen den Rücken, der seltsamerweise gar nicht schmerzte; ich sank nach vorne mit dem Kopf auf Heckers Brust, und während der Lärm rings um mich her erwachte, das wilde Bellen des Maschinengewehres aus Heins Loch und die grauenhaften Einschläge jener Werfer, die wir Orgeln nannten, wurde ich ganz ruhig: denn mit Heckers dunklem Blut, das immer noch auf der Sohle des Loches stand, mischte sich ein helles, ein wunderbares helles Blut, von dem ich wußte, daß es warm und mein eigenes war; und ich sank immer, immer tiefer, bis ich mich glücklich lächelnd am Eingang jener Allee fand, die Hecker nicht hatte beschreiben können, denn die Bäume waren kahl, Einsamkeit und Öde nisteten zwischen fahlen Schatten, und die Hoffnung starb in meinem Herzen, während ich ferne, unsagbar weit, Heckers winkende Silhouette gegen ein sanftes goldenes Licht sah ...

LOHENGRINS TOD

Die Treppe hinauf trugen sie die Bahre etwas langsamer. Die beiden Träger waren ärgerlich, sie hatten vor einer Stunde schon ihren Dienst angefangen
und noch keine Zigarette Trinkgeld gemacht, und
der eine von ihnen war der Fahrer des Wagens, und
Fahrer brauchen eigentlich nicht zu tragen. Aber
vom Krankenhaus hatten sie keinen zum Helfen
heruntergeschickt, und sie konnten den Jungen doch
nicht im Wagen liegen lassen; es war noch eine
eilige Lungenentzündung abzuholen und ein Selbstmörder, der in den letzten Minuten abgeschnitten
worden war. Sie waren ärgerlich, und plötzlich trugen sie die Bahre wieder weniger langsam. Der
Flur war nur schwach beleuchtet, und es roch natürlich nach Krankenhaus.

„Warum sie ihn nur abgeschnitten haben?" murmelte der eine, und er meinte den Selbstmörder, es
war der hintere Träger, und der vordere brummte
zurück: „Hast recht, wozu eigentlich?" Da er sich
dabei umgewandt hatte, stieß er hart gegen die
Türfüllung, und der, der auf der Bahre lag, erwachte und stieß schrille, schreckliche Schreie aus;
es waren die Schreie eines Kindes.

„Ruhig, ruhig", sagte der Arzt, ein junger mit
einem studentischen Kragen, blondem Haar und
einem nervösen Gesicht. Er sah zur Uhr: es war
acht Uhr, und er müßte eigentlich längst abgelöst
sein. Schon über eine Stunde wartete er vergebens
auf Dr. Lohmeyer, aber vielleicht hatten sie ihn
verhaftet; jeder konnte heute jederzeit verhaftet
werden. Der junge Arzt zückte automatisch sein

Hörrohr, er hatte den Jungen auf der Bahre ununterbrochen angesehen, jetzt erst fiel sein Blick auf die Träger, die ungeduldig wartend an der Tür standen; er fragte ärgerlich: „Was ist los, was wollen Sie noch?"

„Die Bahre", sagte der Fahrer, „kann man ihn nicht umbetten? Wir müssen schnell weg."

„Ach, klar, hier!" Der Arzt deutete auf das Ledersofa. In diesem Augenblick kam die Nachtschwester, sie sah gleichgültig, aber ernst aus. Sie packte den Jungen oben an den Schultern, und einer der Träger, nicht der Fahrer, packte ihn einfach an den Beinen. Das Kind schrie wieder wie irrsinnig, und der Arzt sagte hastig: „Still, ruhig, ruhig, wird nicht so schlimm sein . . ."

Die Träger warteten immer noch. Dem gereizten Blick des Arztes antwortete wieder der eine. „Die Decke", sagte er ruhig. Die Decke gehörte ihm gar nicht, eine Frau auf der Unfallstelle hatte sie hergegeben, weil man doch den Jungen mit diesen kaputten Beinen nicht so ins Krankenhaus fahren konnte. Aber der Träger meinte, das Krankenhaus würde sie behalten, und das Krankenhaus hatte genug Decken, und die Decke würde der Frau doch nicht wiedergegeben, und dem Jungen gehörte sie ebensowenig wie dem Krankenhaus, und das hatte genug. Seine Frau würde die Decke schon sauber kriegen, und für Decken gaben sie heute eine Menge.

Das Kind schrie immer noch! Sie hatten die Decke von den Beinen gewickelt und schnell dem Fahrer gegeben. Der Arzt und die Schwester blickten sich an. Das Kind sah gräßlich aus: Der ganze Unterkörper schwamm in Blut, die kurze Leinenhose war völlig zerfetzt, die Fetzen hatten sich mit dem Blut zu einer schauerlichen Masse vermengt. Die Füße waren bloß, und das Kind schrie beständig, schrie mit einer furchtbaren Ausdauer und Regelmäßigkeit.

„Schnell", flüsterte der Arzt, „Schwester, Spritze, schnell, schnell!" Die Schwester hantierte sehr geschickt und flink, aber der Arzt flüsterte immer wieder: „Schnell, schnell!" Sein Mund klaffte haltlos in dem nervösen Gesicht. Das Kind schrie unablässig, aber die Schwester konnte einfach die Spritze nicht schneller fertigmachen.

Der Arzt fühlte den Puls des Jungen, sein bleiches Gesicht zuckte vor Erschöpfung. „Still", flüsterte er einige Male wie irr, „sei doch still!" Aber das Kind schrie, als sei es nur geboren, um zu schreien. Dann kam die Schwester endlich mit der Spritze, und der Arzt machte sehr flink und geschickt die Injektion.

Als er die Nadel seufzend aus der zähen, fast ledernen Haut zog, öffnete sich die Tür, und eine Nonne trat schnell und erregt ins Zimmer, aber als sie den Verunglückten sah und den Arzt, schloß sie den Mund, den sie geöffnet hatte, und trat langsam und still näher. Sie nickte dem Arzt und der blassen Laienschwester freundlich zu und legte dem Jungen die Hand auf die Stirn. Das Kind schlug die Augen ganz senkrecht auf und blickte erstaunt auf die schwarze Gestalt zu seinen Häupten. Es schien fast, als beruhige es sich durch den Druck der kühlen Hand auf seiner Stirn, aber die Spritze wirkte jetzt schon. Der Arzt hielt sie noch in der Hand, und er seufzte noch einmal tief auf, denn es war jetzt still, wunderbar still, so still, daß alle ihren Atem hören konnten. Sie sagten kein Wort.

Das Kind spürte wohl keine Schmerzen mehr, ruhig und neugierig blickte es um sich.

„Wieviel?" fragte der Arzt die Nachtschwester leise.

„Zehn", antwortete sie ebenso.

Der Arzt zuckte die Schultern. „Bißchen viel, mal sehen. Helfen Sie uns ein wenig, Schwester Lioba?"

„Gewiß", sagte die Nonne hastig und schien aus tiefem Brüten aufzuschrecken. Es war sehr still. Die Nonne hielt den Jungen an Kopf und Schultern, die Nachtschwester an den Beinen, und sie zogen ihm die blutgetränkten Fetzen ab. Das Blut hatte sich, wie sie jetzt sahen, mit etwas Schwarzem gemischt, alles war schwarz, die Füße des Jungen waren voll Kohlenstaub, auch seine Hände, alles war nur Blut, Tuchfetzen und Kohlenstaub, dicker, fast öliger Kohlenstaub.

„Klar", murmelte der Arzt, „beim Kohlenklauen vom fahrenden Zug gestürzt, was?"

„Ja", sagte der Junge mit brüchiger Stimme, „klar."

Seine Augen waren wach und es war ein seltsames Glück darin. Die Spritze mußte herrlich gewirkt haben. Die Nonne zog das Hemd ganz hoch und rollte es auf der Brust des Jungen zusammen, oben unter dem Kinn. Der Oberkörper war mager, lächerlich mager wie der einer älteren Gans. Oben am Schlüsselbein waren die Löcher seltsam dunkel beschattet, große Hohlräume, worin sie ihre ganze weiße, breite Hand hätte verbergen können. Nun sahen sie auch die Beine, das, was von den Beinen noch heil war. Sie waren ganz dünn und sahen fein aus und schlank. Der Arzt nickte den Frauen zu und sagte: „Wahrscheinlich doppelte Fraktur beiderseits, müssen röntgen."

Die Nachtschwester wusch mit einem Alkohollappen die Beine sauber, und dann sah es schon nicht mehr so schlimm aus. Das Kind war nur so gräßlich mager. Der Arzt schüttelte den Kopf, während er den Verband anlegte. Er machte sich jetzt wieder Sorgen um Lohmeyer, vielleicht hatten sie ihn doch geschnappt, und selbst wenn er nichts ausplaudern würde, es war doch eine peinliche Sache, ihn sitzenzulassen wegen dem Strophantin und selbst in Freiheit zu sein, während man im anderen Falle am Gewinn beteiligt gewesen wäre. Verdammt, es war sicher halb neun, und es war so unheimlich still jetzt, auf der Straße war nichts zu hören. Er hatte den Verband fertig, und die Nonne zog das Hemd wieder herunter bis über die Lenden. Dann ging sie zum Schrank, nahm eine weiße Decke heraus und legte sie über den Jungen.

Die Hände wieder auf der Stirn des Jungen, sagte sie zum Arzt, der sich die Hände wusch: „Ich kam eigentlich wegen der kleinen Schranz, Herr Doktor, ich wollte Sie nur nicht beunruhigen, während Sie den Jungen hier behandelten."

Der Arzt hielt im Abtrocknen inne, sein Gesicht verzerrte sich ein wenig, und die Zigarette, die an der Unterlippe hing, zitterte.

„Was", fragte er, „was ist denn mit der kleinen Schranz?"

Die Blässe in seinem Gesicht war jetzt fast gelblich.

„Ach, das Herzchen will nicht mehr, es will einfach nicht mehr, es scheint zu Ende zu gehen."

Der Arzt nahm die Zigarette wieder in die Hand und hängte das Handtuch an den Nagel neben dem Waschbecken.

„Verdammt", rief er hilflos, „was soll ich da tun, ich kann doch nichts tun!"

Die Nonne hielt die Hand immer noch auf der Stirn des Jungen. Die Nachtschwester versenkte die blutigen Lappen in dem Abfalleimer, dessen Nickeldeckel flirrende Lichter an die Wand malte.

Der Arzt blickte nachdenklich zu Boden, plötzlich hob er den Kopf, sah noch einmal auf den Jungen und stürzte zur Tür: „Ich seh mir's mal an."

„Brauchen Sie mich nicht?" fragte die Nachtschwester hinter ihm her; er steckte den Kopf noch einmal herein:

„Nein, bleiben Sie hier, machen Sie den Jungen fertig zum Röntgen und versuchen Sie schon, die Krankengeschichte aufzunehmen."

Das Kind war noch sehr still, und auch die Nachtschwester stand jetzt neben dem Ledersofa.

„Weiß deine Mutter Bescheid?" fragte die Nonne.

„Ist tot."

Die Schwester wagte nicht, nach dem Vater zu fragen.

„Wen muß man benachrichtigen?"

„Meinen älteren Bruder, aber der ist jetzt nicht zu Hause. Doch die Kleinen müßten es wissen, die sind jetzt allein."

„Welche Kleinen denn?"

„Hans und Adolf, die warten ja, bis ich das Essen machen komme."

„Und wo arbeitet dein älterer Bruder denn?"

Der Junge schwieg, und die Nonne fragte nicht weiter.

„Wollen Sie schreiben?"

Die Nachtschwester nickte und ging an den kleinen weißen Tisch, der mit Medikamenten und Reagenzgläsern bedeckt war. Sie zog das Tintenfaß näher, tauchte die Feder ein und glättete den weißen Bogen mit der linken Hand.

„Wie heißt du?" fragte die Nonne den Jungen.

„Becker."

„Welche Religion?"

„Nix. Ich bin nicht getauft."

Die Nonne zuckte zusammen, das Gesicht der Nachtschwester blieb unbeteiligt.

„Wann bist du denn geboren?"

„33 . . . am zehnten September."

„Noch in der Schule, ja?"

„Ja."

„Und . . . den Vornamen!" flüsterte die Nachtschwester der Nonne zu.

„Ja . . . und der Vorname?"

„Grini."

„Wie?" Die beiden Frauen blickten sich lächelnd an.

„Grini", sagte der Junge langsam und ärgerlich wie alle Leute, die einen außergewöhnlichen Vornamen haben.

„Mit i?" fragte die Nachtschwester.

„Ja mit zwei i", und er wiederholte noch einmal: „Grini."

Er hieß eigentlich Lohengrin, denn er war 1933 geboren, damals, als die ersten Bilder Hitlers auf den Bayreuther Festspielen durch alle Wochenschauen liefen. Aber die Mutter hatte ihn immer Grini genannt.

Der Arzt stürzte plötzlich herein, seine Augen waren verschwommen vor Erschöpfung, und die dünnen blonden Haare hingen in dem jungen und doch sehr zerfurchten Gesicht.

„Kommen Sie schnell, schnell, alle beide. Ich will noch eine Transfusion versuchen, schnell."

Die Nonne warf einen Blick auf den Jungen.

„Ja, ja", rief der Arzt, „lassen Sie ihn ruhig einen Augenblick allein."

Die Nachtschwester stand schon an der Tür.

„Willst du schön ruhig liegenbleiben, Grini?" fragte die Nonne.

„Ja", sagte das Kind.

Aber als sie alle raus waren, ließ er die Tränen einfach laufen. Es war, als hätte die Hand der Nonne auf seiner Stirn sie zurückgehalten. Er weinte nicht aus Schmerz, er weinte vor Glück. Und doch auch aus Schmerz und Angst. Nur wenn er an die Kleinen dachte, weinte er aus Schmerz, und er versuchte, nicht an sie zu denken, denn er wollte aus Glück weinen. Er hatte sich noch nie im Leben so wunderbar gefühlt, wie jetzt nach der Spritze. Es floß wie eine wunderbare, ein bißchen warme Milch durch ihn hin, machte ihn schwindelig und zugleich wach, und es schmeckte ihm köstlich auf der Zunge, so köstlich wie nie etwas im Leben, aber er mußte doch immer an die Kleinen denken. Hubert würde vor morgen früh nicht zurückkommen, und Vater kam ja erst in drei Wochen, und Mutter... und die Kleinen waren jetzt ganz allein, und er wußte genau, daß sie auf jeden Tritt, jeden geringsten Laut auf der Treppe lauerten, und es gab so unheimlich viele Laute auf der Treppe und so unheimlich viele Enttäuschungen für die Kleinen. Es bestand wenig Aussicht, daß Frau Großmann sich ihrer annehmen würde: sie hatte es nie getan, warum gerade heute, sie hatte es nie getan, sie konnte doch nicht wissen, daß er... daß er verunglückt war. Hans würde Adolf vielleicht trösten, aber Hans war selbst sehr schwach und weinte beim geringsten Anlaß. Vielleicht würde Adolf Hans trösten, aber Adolf war erst fünf und Hans schon acht, es war eigentlich wahrscheinlicher, daß Hans Adolf trösten würde. Aber Hans war so furchtbar schwach, und Adolf war robuster. Wahrscheinlich würden sie alle beide weinen, denn wenn es auf sieben Uhr ging, hatten sie keine Freude mehr an ihren Spielen, weil sie Hunger hatten und wußten, daß er um halb acht kommen und ihnen zu essen geben würde. Und sie würden nicht wagen, an das Brot zu gehen; nein, das würden sie nie mehr wagen, er hatte es ihnen zu streng verboten, seitdem sie ein paarmal alles, alles, die ganze Wochenration aufgegessen hatten; an die Kartoffeln hätten sie ruhig gehen können, aber das wußten sie ja nicht. Hätte er ihnen doch gesagt, daß sie an die Kartoffeln gehen durften. Hans konnte schon ganz gut Kartoffeln kochen; aber sie würden es nicht wagen, er hatte sie zu streng bestraft, ja, er hatte sie sogar schlagen müssen, denn es ging ja einfach nicht, daß sie das ganze Brot aufaßen; es ging einfach nicht, aber er wäre jetzt froh gewesen, wenn er sie nie bestraft hätte, dann würden sie jetzt an das Brot gehen und hätten wenigstens keinen Hunger. So saßen sie da und warteten, und bei jedem Geräusch auf der Treppe sprangen sie erregt auf und steckten ihre blassen Gesichter in den Türspalt, so wie er sie so oft, oft schon, vielleicht tausendmal gesehen hatte. Oh, immer sah er zuerst ihre Gesichter, und sie freuten sich. Ja, auch nachdem er sie geschlagen hatte, freuten sie sich, wenn er kam; sie sahen ja alles ein. – Und nun war jedes Geräusch eine Enttäuschung, und sie würden Angst haben. Hans zitterte schon, wenn er nur einen Polizisten sah; vielleicht würden sie so laut weinen, daß Frau Großmann schimpfen würde, denn sie hatte abends gern Ruhe, und dann würden sie vielleicht doch weiter weinen, und Frau Großmann würde nachsehen kommen, und dann erbarmte sie sich ihrer; sie war gar nicht so übel, Frau Großmann. Aber Hans würde nie von selbst zu Frau Großmann gehen, er hatte so furchtbare Angst vor ihr, Hans hatte vor allem Angst . . .

Wenn sie doch wenigstens an die Kartoffeln gingen!

Seitdem er wieder an die Kleinen dachte, weinte

er nur noch aus Schmerz. Er versuchte die Hand
vor die Augen zu halten, um die Kleinen nicht zu
sehen, dann spürte er, daß die Hand naß wurde,
und er weinte noch mehr. Er versuchte, sich klar zu
werden, wie spät es war. Es war sicher neun, vielleicht zehn, und das war furchtbar. Er war sonst
nie nach halb acht nach Hause gekommen, aber der
Zug war heute scharf bewacht gewesen, und sie
mußten schwer aufpassen, die Luxemburger schossen so gern. Vielleicht hatten sie im Kriege nicht
viel schießen können, und sie schossen eben gern;
aber ihn kriegten sie nicht, nie, sie hatten ihn noch
nie gekriegt, er war ihnen immer durchgeflutscht.
Mein Gott, ausgerechnet Anthrazit, den konnte er
unmöglich durchgehen lassen. Anthrazit, für Anthrazit zahlten sie glatt ihre siebzig bis achtzig
Mark, und den sollte er durchgehen lassen!
Aber die Luxemburger hatten ihn nicht gekriegt, er war mit den Russen fertig geworden, mit
den Amis und den Tommies und den Belgiern, sollten ihn ausgerechnet die Luxemburger schnappen,
diese lächerlichen Luxemburger? Er war ihnen
durchgeflutscht, rauf auf die Kiste, den Sack gefüllt
und runtergeschmissen, und dann nachgeschmissen,
was man immer noch holen konnte. Aber dann,
ratsch, hielt der Zug ganz plötzlich, und er wußte
nur, daß er wahnsinnige Schmerzen gehabt hatte,
bis er nichts mehr wußte, und dann wieder, als er
hier in der Tür wach wurde und das weiße Zimmer
sah. Und dann gaben sie ihm die Spritze. Er weinte
jetzt wieder nur vor Glück. Die Kleinen waren
nicht mehr da; das Glück war etwas Herrliches, er
hatte es noch gar nicht gekannt; die Tränen schienen das Glück zu sein, das Glück floß aus ihm heraus, und doch wurde es nicht kleiner in seiner Brust,
dieses flimmernde, süße, kreisende Stück, dieser

seltsame Klumpen, der in Tränen aus ihm herausquoll, wurde nicht kleiner . . .

Plötzlich hörte er das Schießen der Luxemburger, sie hatten Maschinenpistolen, und es klang schauerlich in den frischen Frühlingsabend; es roch nach Feld, nach Eisenbahnqualm, Kohlen und ein bißchen auch nach richtigem Frühling. Zwei Geschosse bellten in den Himmel, der ganz dunkelgrau war, und ihr Echo kam tausendfältig auf ihn zurück, und es prickelte auf seiner Brust wie von Nadelstichen; diese verdammten Luxemburger sollten ihn nicht kriegen, sie sollten ihn nicht kaputtschießen! Die Kohlen, auf denen er jetzt flach ausgestreckt lag, waren hart und spitz, es war Anthrazit, und sie gaben achtzig, bis zu achtzig Mark für den Zentner. Ob er den Kleinen mal Schokolade kaufen sollte? Nein, es würde nicht reichen, für Schokolade nahmen sie vierzig, bis zu fünfundvierzig; so viel konnte er nicht abschleppen; mein Gott, einen Zentner für zwei Tafeln Schokolade; und die Luxemburger waren ganz verrückte Hunde, sie schossen schon wieder, und seine nackten Füße waren kalt und taten weh von dem spitzen Anthrazit, und sie waren schwarz und schmutzig, er fühlte es. Die Schüsse rissen große Löcher in den Himmel, aber den Himmel konnten sie doch nicht kaputtschießen, oder ob die Luxemburger den Himmel kaputtschießen konnten? . . .

Ob er der Schwester denn sagen mußte, wo sein Vater war, und wo Hubert nachts hinging? Die hatten ihn nicht gefragt, und man sollte nicht antworten, wenn man nicht gefragt war. In der Schule hatten sie es gesagt . . . verdammt, die Luxemburger . . . und die Kleinen . . . die Luxemburger sollten aufhören zu schießen, er mußte zu den Kleinen . . . sie waren wohl verrückt, total übergeschnappt, diese Luxemburger. Verdammt, nein, er sagt es der Schwester einfach nicht, wo der Vater war und wo der Bruder nachts hinging, und vielleicht würden die Kleinen doch von dem Brot nehmen ... oder von den Kartoffeln ... oder vielleicht würde Frau Großmann doch merken, daß da etwas nicht stimmte, denn es stimmte etwas nicht; es war seltsam, eigentlich stimmte immer was nicht. Der Herr Rektor würde auch schimpfen. Die Spritze tat gut, er fühlte den Pick, und dann war plötzlich das Glück da! Diese blasse Schwester hatte das Glück in die Spritze getan, und er hatte ja ganz genau gehört, daß sie zuviel Glück in die Spritze getan hatte, viel zuviel Glück, er war gar nicht so dumm. Grini mit zwei i ..., nee, ist ja tot ... nee, vermißt. Das Glück war herrlich, er wollte vielleicht den Kleinen mal das Glück in der Spritze kaufen; man konnte ja alles kaufen ... Brot ... ganze Berge von Brot ...

Verdammt, mit zwei i, kennen sie denn hier die besten deutschen Namen nicht? ...

„Nix", schrie er plötzlich, „ich bin nicht getauft."

Ob die Mutter nicht überhaupt noch lebte. Nee, die Luxemburger hatten sie erschossen, nee die Russen ... nee, wer weiß, vielleicht hatten die Nazis sie erschossen, sie hatte so furchtbar geschimpft ... nee, die Amis ... ach die Kleinen sollten ruhig Brot essen, Brot essen ... einen ganzen Berg Brot wollte er den Kleinen kaufen ... Brot in Bergen ... einen ganzen Güterwagen voll Brot ... voll Anthrazit; und das Glück in der Spritze.

Mit zwei i, verdammt!

Die Nonne lief auf ihn zu, griff sofort nach dem Puls und blickte unruhig um sich. Mein Gott, ob sie den Arzt rufen sollte? Aber sie konnte das phantasierende Kind nun nicht mehr allein lassen. Die kleine Schranz war tot, hinüber, Gott sei Dank, dieses kleine Mädchen mit dem Russengesicht! Wo der Arzt nur blieb . . . sie rannte um das Ledersofa herum . . .

„Nix", schrie das Kind, „ich bin nicht getauft."

Der Puls drohte regelrecht überzuschnappen. Der Nonne stand Schweiß auf der Stirn. „Herr Doktor, Herr Doktor!" rief sie laut, aber sie wußte ganz genau, daß kein Laut durch die gepolsterte Tür drang . . .

Das Kind wimmerte jetzt erbärmlich.

„Brot . . . einen ganzen Berg Brot für die Kleinen . . . Schokolade . . . Anthrazit . . . die Luxemburger, diese Schweine, sie sollen nicht schießen, verdammt, die Kartoffeln, ihr könnt ruhig an die Kartoffeln gehen . . . geht doch an die Kartoffeln! Frau Großmann . . . Vater . . . Mutter . . . Hubert . . . durch den Türspalt, durch den Türspalt."

Die Nonne weinte vor Angst, sie wagte nicht wegzugehen, das Kind begann jetzt zu wühlen, und sie hielt es an den Schultern fest. Das Ledersofa war so scheußlich glatt. Die kleine Schranz war tot, das kleine Herzchen war im Himmel. Gott sei ihr gnädig; ach gnädig . . . sie war ja unschuldig, ein kleines Engelchen, ein kleines häßliches Russenengelchen . . . aber nun war sie hübsch . . .

„Nix", schrie der Junge und versuchte, mit den Armen um sich zu schlagen, „ich bin nicht getauft."

Die Nonne blickte erschreckt auf. Sie lief zum Wasserbecken, hielt den Jungen ängstlich im Auge, fand kein Glas, lief zurück, streichelte die fiebrige Stirn. Dann ging sie an das kleine weiße Tischchen und ergriff ein Reagenzglas. Das Reagenzglas war schnell voll Wasser! mein Gott, wie wenig Wasser in so ein Reagenzglas geht . . .

„Glück", flüsterte das Kind, „tun Sie viel Glück

in die Spritze, alles was Sie haben, auch für die Kleinen . . ."

Die Nonne bekreuzigte sich feierlich, sehr langsam, dann goß sie das Wasser aus dem Reagenzglas über die Stirn des Jungen und sprach unter Tränen: „Ich taufe dich . . .", aber das Kind, von dem kalten Wasser plötzlich ernüchtert, hob den Kopf so plötzlich, daß das Glas aus der Hand der Schwester fiel und auf dem Boden zerbrach. Der Junge blickte die erschreckte Schwester mit einem kleinen Lächeln an und sagte matt: „Taufen . . . ja . . .", dann sank er so heftig zurück, daß sein Kopf mit einem dumpfen Schlag auf das Ledersofa fiel, und sein Gesicht sah nun schmal aus und alt, erschreckend gelb, wie er so regungslos dalag, die Hände zum Greifen gespreizt . . .

„Ist er geröntgt?" rief der Arzt, der lachend mit Dr. Lohmeyer ins Zimmer trat. Die Schwester schüttelte nur den Kopf. Der Arzt trat näher, griff automatisch nach seinem Hörrohr, ließ es aber wieder los und blickte Lohmeyer an. Lohmeyer nahm den Hut ab. Lohengrin war tot . . .

GESCHÄFT IST GESCHÄFT

Mein Schwarzhändler ist jetzt ehrlich geworden; ich
hatte ihn lange nicht gesehen, schon seit Monaten
nicht, und nun entdeckte ich ihn heute in einem
ganz anderen Stadtteil, an einer verkehrsreichen
Straßenkreuzung. Er hat dort eine Holzbude, wunderbar weißlackiert mit sehr solider Farbe; ein
prachtvolles, stabiles, nagelneues Zinkdach schützt
ihn vor Regen und Kälte, und er verkauft Zigaretten, Dauerlutscher, alles jetzt legal. Zuerst habe ich
mich gefreut; man freut sich doch, wenn jemand in
die Ordnung des Lebens zurückgefunden hat. Denn
damals, als ich ihn kennenlernte, ging es ihm schlecht
und wir waren traurig. Wir hatten unsere alten
Soldatenkappen über der Stirn, und wenn ich gerade Geld hatte, ging ich zu ihm, und wir sprachen
manchmal miteinander, vom Hunger, vom Krieg;
und er schenkte mir manchmal eine Zigarette, wenn
ich kein Geld hatte; ich brachte ihm dann schon
einmal Brotmarken mit, denn ich kloppte gerade
Steine für einen Bäcker, damals.

Jetzt schien es ihm gut zu gehen. Er sah blendend
aus. Seine Backen hatten jene Festigkeit, die nur
von regelmäßiger Fettzufuhr herrühren kann, seine
Miene war selbstbewußt, und ich beobachtete, daß
er ein kleines, schmutziges Mädchen mit heftigen
Schimpfworten bedachte und wegschickte, weil ihm
fünf Pfennig zu einem Dauerlutscher fehlten. Dabei
fletschte er dauernd mit der Zunge im Mund herum, als hätte er stundenlang Fleischfasern aus den
Zähnen zu zerren.

Er hatte viel zu tun; sie kauften viele Zigaretten
bei ihm, auch Dauerlutscher.

Vielleicht hätte ich es nicht tun sollen – ich ging zu ihm, sagte „Ernst" zu ihm und wollte mit ihm sprechen. Damals hatten wir uns alle geduzt, und die Schwarzhändler sagten auch du zu einem. Er war sehr erstaunt, sah mich merkwürdig an und sagte: „Wie meinen Sie?" Ich sah, daß er mich erkannte, daß ihm selber aber wenig daran lag, erkannt zu werden.

Ich schwieg. Ich tat so, als hätte ich nie Ernst zu ihm gesagt, kaufte ein paar Zigaretten, denn ich hatte gerade etwas Geld, und ging. Ich beobachtete ihn noch eine Zeitlang; meine Bahn kam nicht, und ich hatte auch gar keine Lust, nach Hause zu gehen. Zu Hause kommen immer Leute, die Geld haben wollen; meine Wirtin für die Miete und der Mann, der das Geld für den Strom kassiert. Außerdem darf ich zu Hause nicht rauchen; meine Wirtin riecht alles, sie ist dann sehr böse, und ich bekomme zu hören, daß ich wohl Geld für Tabak, aber keins für die Miete habe. Denn es ist eine Sünde, wenn die Armen rauchen oder Schnaps trinken. Ich weiß, daß es Sünde ist, deshalb tue ich es heimlich, ich rauche draußen, und nur manchmal, wenn ich wach liege und alles still ist, wenn ich weiß, daß bis morgens der Rauch nicht mehr zu riechen ist, dann rauche ich auch zu Hause.

Das Furchtbare ist, daß ich keinen Beruf habe. Man muß ja jetzt einen Beruf haben. Sie sagen es. Damals sagten sie alle, es wäre nicht nötig, wir brauchten nur Soldaten. Jetzt sagen sie, daß man einen Beruf haben muß. Ganz plötzlich. Sie sagen, man ist faul, wenn man keinen Beruf hat. Aber es stimmt nicht. Ich bin nicht faul, aber die Arbeiten, die sie von mir verlangen, will ich nicht tun. Schutt räumen und Steine tragen und so. Nach zwei Stunden bin ich schweißüberströmt, es schwindelt mir vor den Augen, und wenn ich dann zu den Ärzten komme, sagen sie, es ist nichts. Vielleicht sind es die Nerven. Sie reden jetzt viel von Nerven. Aber ich glaub', es ist Sünde, wenn die Armen Nerven haben. Arm sein und Nerven haben, ich glaube, das ist mehr als sie vertragen. Meine Nerven sind aber bestimmt hin; ich war zu lange Soldat. Neun Jahre glaube ich. Vielleicht mehr, ich weiß nicht genau. Damals hätte ich gern einen Beruf gehabt, ich hatte große Lust, Kaufmann zu werden. Aber damals – wozu davon reden; jetzt habe ich nicht einmal mehr Lust, Kaufmann zu werden. Am liebsten liege ich auf dem Bett und träume. Ich rechne mir dann aus, wieviel Hunderttausend Arbeitstage sie an so einer Brücke bauen, oder an einem großen Haus, und ich denke daran, daß sie in einer einzigen Minute Brücke und Haus kaputtschmeißen können. Wozu da noch arbeiten? Ich finde es sinnlos, da noch zu arbeiten. Ich glaube, das ist es, was mich verrückt macht, wenn ich Steine tragen muß, oder Schutt räumen, damit sie wieder ein Café bauen können.

Ich sagte eben, es wären die Nerven, aber ich glaube, das ist es: daß es sinnlos ist.

Im Grunde genommen ist mir egal, was sie denken. Aber es ist schrecklich, nie Geld zu haben. Man muß einfach Geld haben. Man kommt nicht daran vorbei. Da ist ein Zähler und man hat eine Lampe, manchmal braucht man natürlich Licht, knipst an und schon fließt das Geld oben aus der Birne heraus. Auch wenn man kein Licht braucht, muß man bezahlen, Zählermiete. Überhaupt: Miete. Man muß anscheinend ein Zimmer haben. Zuerst habe ich in einem Keller gewohnt, da war es nicht übel, ich hatte einen Ofen und klaute mir Briketts; aber da haben sie mich aufgestöbert, sie kamen von der Zeitung, haben mich geknipst, einen Artikel geschrieben mit einem Bild: Elend eines Heimkehrers. Ich mußte einfach umziehen. Der Mann vom Wohnungsamt sagte, es wäre eine Prestigefrage für ihn, und ich mußte das Zimmer nehmen. Manchmal verdiene ich natürlich auch Geld. Das ist klar. Ich mache Besorgungen, trage Briketts und stapele sie fein säuberlich in eine Kellerecke. Ich kann wunderbar Briketts stapeln, ich mache es auch billig. Natürlich verdiene ich nicht viel, es langt nie für die Miete, manchmal für den Strom, ein paar Zigaretten und Brot ...

Als ich jetzt an der Ecke stand, dachte ich an alles.

Mein Schwarzhändler, der jetzt ehrlich geworden ist, sah mich manchmal mißtrauisch an. Dieses Schwein kennt mich ganz genau, man kennt sich doch, wenn man zwei Jahre fast täglich miteinander gesprochen hat. Vielleicht glaubt er, ich wollte bei ihm klauen. So dumm bin ich nicht, da zu klauen, wo es von Menschen wimmelt und wo jede Minute eine Straßenbahn ankommt, wo sogar ein Schupo an der Ecke steht. Ich klaue an ganz anderen Stellen: natürlich klaue ich manchmal, Kohlen und so. Auch Holz. Neulich habe ich sogar ein Brot in einer Bäckerei geklaut. Es ging unheimlich schnell und einfach. Ich nahm einfach das Brot und ging hinaus, ich bin ruhig gegangen, erst an der nächsten Ecke habe ich angefangen zu laufen. Man hat eben keine Nerven mehr.

Ich klaue doch nicht an einer solchen Ecke, obwohl das manchmal einfach ist, aber meine Nerven sind dahin. Es kamen viele Bahnen, auch meine, und ich habe ganz genau gesehen, wie Ernst mir zuschielte, als meine kam. Dieses Schwein weiß noch ganz genau, welche Bahn meine ist!

Aber ich warf die Kippe von der ersten Zigarette weg, machte eine zweite an und blieb stehen. So weit bin ich also schon, daß ich die Kippen wegschmeiße. Doch es schlich da jemand herum, der die Kippen aufhob, und man muß auch an die Kameraden denken. Es gibt noch welche, die Kippen aufheben. Es sind nicht immer dieselben. In der Gefangenschaft sah ich Obersten, die Kippen aufhoben, der da aber war kein Oberst. Ich habe ihn beobachtet. Er hatte sein System, wie eine Spinne, die im Netz hockt, hatte er irgendwo in einem Trümmerhaufen sein Standquartier, und wenn gerade eine Bahn angekommen oder abgefahren war, kam er heraus und ging seelenruhig am Bordstein vorbei und sammelte die Kippen ein. Am liebsten wäre ich zu ihm gegangen und hätte mit ihm gesprochen, ich fühle, daß ich zu ihm gehöre: aber ich weiß, das ist sinnlos; diese Burschen sagen nichts.

Ich weiß nicht, was mit mir los war, aber ich hatte an diesem Tage gar keine Lust, nach Hause zu fahren. Schon das Wort: zu Hause. Es war mir jetzt alles egal, ich ließ noch eine Bahn fahren und machte noch eine Zigarette an. Ich weiß nicht, was uns fehlt. Vielleicht entdeckt es eines Tages ein Professor und schreibt es in die Zeitung: sie haben für alles eine Erklärung. Ich wünsche nur, ich hätte noch die Nerven zum Klauen wie im Krieg. Damals ging es schnell und glatt. Damals, im Krieg, wenn es etwas zu klauen gab, mußten wir immer klauen gehen: da hieß es: der macht das schon, und wir sind klauen gegangen. Die anderen haben nur mitgefressen, mitgesoffen, haben es nach Hause geschickt, und alles, aber sie hatten nicht geklaut. Ihre Nerven waren tadellos, und die weiße Weste war tadellos.

Und als wir nach Hause kamen, sind sie aus dem

72

Krieg ausgestiegen wie aus einer Straßenbahn, die gerade dort etwas langsamer fuhr, wo sie wohnten, sie sind abgesprungen, ohne den Fahrpreis zu bezahlen. Sie haben eine kleine Kurve genommen, sind eingetreten, und siehe da: das Vertiko stand noch, es war nur ein bißchen Staub in der Bibliothek, die Frau hatte Kartoffeln im Keller, auch Eingemachtes: man umarmte sie ein bißchen, wie es sich gehörte, und am nächsten Morgen ging man fragen: ob die Stelle noch frei war: die Stelle war noch frei. Es war alles tadellos, die Krankenkasse lief weiter, man ließ sich ein bißchen entnazisieren – so wie man zum Friseur geht, um den lästigen Bart abnehmen zu lassen –, man erzählte von Orden, Verwundungen, Heldentaten und fand, daß man schließlich doch ein Prachtbengel sei: man hatte letzten Endes nichts als seine Pflicht getan. Es gab sogar wieder Wochenkarten bei der Straßenbahn, das beste Zeichen, daß wirklich alles in Ordnung war.

Wir aber fuhren inzwischen weiter mit der Straßenbahn und warteten, ob irgendwo eine Station käme, die uns bekannt genug vorgekommen wäre, daß wir auszusteigen riskiert hätten: die Haltestelle kam nicht. Manche fuhren noch ein Stück mit, aber sie sprangen auch bald irgendwo ab und taten jedenfalls so, als wenn sie am Ziel wären.

Wir aber fuhren weiter und weiter, der Fahrpreis erhöhte sich automatisch, und wir hatten außerdem für großes und schweres Gepäck den Preis zu entrichten: für die bleierne Masse des Nichts, die wir mitzuschleppen hatten; und es kamen eine Menge Kontrolleure, denen wir achselzuckend unsere leeren Taschen zeigten. Runterschmeißen konnten sie uns ja nicht, die Bahn fuhr zu schnell – „und wir sind ja Menschen" – aber wir wurden aufgeschrieben, aufgeschrieben, immer wieder wurden wir notiert, die Bahn fuhr immer schneller; die raffiniert waren, sprangen schnell noch ab, irgendwo, immer weniger wurden wir, und immer weniger hatten wir Mut und Lust auszusteigen. Insgeheim hatten wir uns vorgenommen, das Gepäck in der Straßenbahn stehenzulassen, es dem Fundbüro zur Versteigerung zu überlassen, sobald wir an der Endstation angekommen wären; aber die Endstation kam nicht, der Fahrpreis wurde immer teurer, das Tempo immer schneller, die Kontrolleure immer mißtrauischer, wir sind eine äußerst verdächtige Sippschaft.

Ich warf auch die Kippe von der dritten Zigarette weg und ging langsam auf die Haltestelle zu; ich wollte jetzt nach Hause fahren. Mir wurde schwindelig: man sollte nicht auf den nüchternen Magen so viel rauchen, ich weiß. Ich blickte nicht mehr dorthin, wo mein ehemaliger Schwarzhändler jetzt einen legalen Handel betreibt; gewiß habe ich kein Recht, böse zu sein; er hat es geschafft, er ist abgesprungen, sicher im richtigen Augenblick, aber ich weiß nicht, ob es dazu gehört, die Kinder anzuschnauzen, denen fünf Pfennig zu einem Dauerlutscher fehlen. Vielleicht gehört das zum legalen Handel, ich weiß nicht.

Kurz bevor meine Straßenbahn kam, ging auch der Kumpel wieder seelenruhig vorne am Bordstein vorbei und schritt die Front der Wartenden ab, um die Kippen aufzusammeln. Sie sehen das nicht gern, ich weiß. Es wäre ihnen lieber, es gäbe das nicht, aber es gibt es . . .

Erst als ich einstieg, habe ich noch einmal Ernst angesehen, aber er hat weggeguckt und laut geschrien: Schokolade, Bonbons, Zigaretten, alles frei! Ich weiß nicht, was los ist, aber ich muß sagen, daß er mir früher besser gefallen hat, wo er nicht jemand wegzuschicken brauchte, dem fünf Pfennig fehlten; aber jetzt hat er ja ein richtiges Geschäft, und Geschäft ist Geschäft.

AUTOBIOGRAPHISCHES NACHWORT

Geboren bin ich in Köln, wo der Rhein, seiner mittelrheinischen Lieblichkeit überdrüssig, breit wird, in die totale Ebene hinein auf die Nebel der Nordsee zufließt; wo weltliche Macht nie so recht ernst genommen worden ist, geistliche Macht weniger ernst, als man gemeinhin in deutschen Landen glaubt; wo man Hitler mit Blumentöpfen bewarf, Göring öffentlich verlachte, den blutrünstigen Gecken, der es fertigbrachte, sich innerhalb einer Stunde in drei verschiedenen Uniformen zu präsentieren; ich stand, zusammen mit Tausenden Kölner Schulkindern Spalier, als er in der dritten Uniform, einer weißen, durch die Stadt fuhr; ich ahnte daß der bürgerliche Unernst der Stadt gegen die neu heraufziehende Mechanik des Unheils nichts ausrichten würde; geboren in Köln, das seines gotischen Domes wegen berühmt ist, es aber mehr seiner romanischen Kirchen wegen sein müßte; das die älteste Judengemeinde Europas beherbergte und sie preisgab; Bürgersinn und Humor richteten gegen das Unheil nichts aus, jener Humor, so berühmt wie der Dom, in seiner offiziellen Erscheinungsform schreckenerregend, auf der Straße manchmal von Größe und Weisheit.

Geboren in Köln, am 21. Dezember 1917, während mein Vater als Landsturmmann Brückenwache schob; im schlimmsten Hungerjahr des Weltkrieges wurde ihm das achte Kind geboren; zwei hatte er schon früh beerdigen müssen; während mein Vater den Krieg verfluchte und den kaiserlichen Narren, den er mir später als Denkmal zeigte. „Dort oben", sagte er, „reitet er immer noch auf seinem Bronzegaul westwärts, während er doch schon so lange in Doorn Holz hackt"; immer noch reitet er auf seinem Bronzegaul westwärts.

76

Meine väterlichen Vorfahren kamen vor Jahrhunderten von den britischen Inseln, Katholiken, die der Staatsreligion Heinrichs VIII. die Emigration vorzogen. Sie waren Schiffszimmerleute, zogen von Holland herauf rheinaufwärts, lebten immer lieber in Städten als auf dem Land, wurden, so weit von der See entfernt, Tischler. Die Vorfahren mütterlicherseits waren Bauern und Bierbrauer; eine Generation war wohlhabend und tüchtig, dann brachte die nächste den Verschwender hervor, war die übernächste arm, brachte wieder den Tüchtigen hervor, bis sich im letzten Zweig, aus dem meine Mutter stammte, alle Weltverachtung sammelte und der Name erlosch.

Meine erste Erinnerung: Hindenburgs heimkehrende Armee, grau, ordentlich, trostlos zog sie mit Pferden und Kanonen an unserem Fenster vorüber; vom Arm meiner Mutter aus blickte ich auf die Straße, wo die endlosen Kolonnen auf die Rheinbrücken zumarschierten; später: die Werkstatt meines Vaters: Holzgeruch, der Geruch von Leim, Schellack und Beize; der Anblick frisch gehobelter Bretter, das Hinterhaus einer Mietskaserne, in der die Werkstatt lag; mehr Menschen als in manchem Dorf leben, lebten dort, sangen, schimpften, hängten ihre Wäsche auf die Recks; noch später: die klangvollen germanischen Namen der Straßen, in denen ich spielte: Teutoburger-, Eburonen-, Veledastraße, und die Erinnerung an Umzüge, wie mein Vater sie liebte, Möbelwagen, biertrinkende Packer, das Kopfschütteln meiner Mutter, die ihren Herd liebte, auf dem sie das Kaffeewasser immer kurz vor dem Siedepunkt zu halten verstand. Nie wohnten wir weit vom Rhein entfernt, spielten auf Flößen, in alten Festungsgräben, in Parks, deren Gärtner streikten; Erinnerung an das erste Geld, das ich in die Hand bekam, es war ein Schein, der eine Ziffer trug, die Rockefellers Konto Ehre gemacht hätte: 1 Billion Mark; ich bekam eine Zuckerstange dafür;

mein Vater holte die Lohngelder für seine Gehilfen in einem Leiterwagen von der Bank; wenige Jahre später waren die Pfennige der stabilisierten Mark schon knapp, Schulkameraden bettelten mich in der Pause um ein Stück Brot an; ihre Väter waren arbeitslos; Unruhen, Streiks, rote Fahnen, wenn ich durch die am dichtesten besiedelten Viertel Kölns mit dem Fahrrad in die Schule fuhr; wenige Jahre später waren die Arbeitslosen untergebracht, sie wurden Polizisten, Soldaten, Henker, Rüstungsarbeiter — der Rest zog in die Konzentrationslager; die Statistik stimmte, die Reichsmark floß in Strömen; bezahlt wurden die Rechnungen später, von uns, als wir, inzwischen unversehens Männer geworden, das Unheil zu entziffern versuchten und die Formel nicht fanden; die Summe des Leidens war zu groß für die wenigen, die eindeutig als schuldig zu erkennen waren; es blieb ein Rest, der bis heute nicht verteilt ist.

Schreiben wollte ich immer, versuchte es schon früh, fand aber die Worte erst später.

Heinrich Böll

HEINRICH BÖLL

* 21. Dezember 1917, Köln
† 16. Juli 1985, Langenbroich (Eifel)

Hauptwerke

Der Zug war pünktlich. Erzählung. 1949 – Wanderer, kommst du nach Spa ... Erzählungen. 1950 – Die schwarzen Schafe. Erzählung. 1951 – Wo warst du, Adam? Roman. 1951 – Und sagte kein einziges Wort. Roman. 1953 – Haus ohne Hüter. Roman. 1954 – Das Brot der frühen Jahre. Erzählung. 1955 – So ward Abend und Morgen. Erzählungen. 1955 – Unberechenbare Gäste. Erzählungen. 1956 – Irisches Tagebuch. 1957 – Im Tal der donnernden Hufe. Erzählung. 1957 – Erzählungen. 1958 – Doktor Murkes gesammeltes Schweigen und andere Satiren. 1958 – Billard um halbzehn. Roman. 1959 – Ansichten eines Clowns. Roman. 1963 – Entfernung von der Truppe. Erzählung. 1964 – Ende einer Dienstfahrt. Erzählung. 1966 – Frankfurter Vorlesungen. 1966 – Aufsätze, Kritiken, Reden. 1967 – Gruppenbild mit Dame. Roman. 1971 – Gedichte. 1972 – Neue politische und literarische Schriften. 1973 – Die verlorene Ehre der Katharina Blum oder Wie Gewalt entstehen und wohin sie führen kann. Erzählung. 1974 – Fürsorgliche Belagerung. Roman. 1979 – Du fährst zu oft nach Heidelberg und andere Erzählungen. 1979 – Was soll aus dem Jungen bloß werden? Oder: Irgendwas mit Büchern. Erzählung. 1981 – Das Vermächtnis. Erzählung. 1982 – Mein trauriges Gesicht. Erzählung. 1984 – Bild, Bonn, Boenisch. 1984 – Frauen vor Flußlandschaft. Roman. 1985

INHALT